Ensaladas

Cocinar mejor que nunca

Ensaladas

El gran libro de cocina ilustrado a
todo color

Con las mejores recetas creadas por Elke Alsen, Marieluise Christl-Licosa,
Marey Kurz, Hannelore Mähl-Strenge, Brigitta Stuber, Renate Zeltner
y Annette Wolter

Dirección editorial
Annette Wolter

Fotografías en color
Odette Teubner

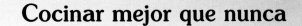

EDITORIAL EVEREST, S. A.

MADRID • LEON • BARCELONA • SEVILLA • GRANADA • VALENCIA
ZARAGOZA • LAS PALMAS DE GRAN CANARIA • LA CORUÑA
PALMA DE MALLORCA • ALICANTE – MEXICO • BUENOS AIRES

En este libro encontrará

Ensaladas completas

Ensaladas para fiestas

Los ingredientes de la ensalada

El contenido del libro de la A a la Z

Las recetas ordenadas por ingredientes

Sobre este libro

Gentes de fino paladar y dietistas disfrutan de las ensaladas con igual placer. Se busca la variedad. Por ello este libro de cocina, profusamente ilustrado con fotografías a todo color, presenta una gama de exquisitas ensaladas tan extensa que puede satisfacer todos los deseos. Las recetas son, por un lado, bajas en calorías y ofrecen, por otro, fórmulas exclusivas para ocasiones señaladas. Hay creaciones singulares, ensaladas capaces de dar cumplida respuesta a cualquier apetito y de mantenerse a la altura de los gustos más exigentes. Las hay también de fácil preparación. Las recetas tienen en cuenta las tendencias actuales, extraen lo mejor de las entrañables cocinas de tasca y figón y combinan las ensaladas familiares con interesantes innovaciones. Las espléndidas fotografías en color, realizadas en exclusiva para este libro, muestran la gran variedad con que pueden aderezarse las ensaladas: aquí cada sabor cuenta con su propia foto.

Las recetas están descritas en términos tan sencillos y comprensibles que hasta los poco iniciados tienen, desde el primer momento, el éxito asegurado.

Los datos sobre preparativos, tiempo de elaboración y de puesta a punto le facilitan una correcta planificación. Las indicaciones en rojo que acompañan a todas las recetas señalan si el plato en cuestión se puede preparar rápidamente o si requiere algún tiempo, si es económico o tiene un precio algo más elevado, si es de fácil preparación o entraña algún grado de dificultad. Estas indicaciones remiten además a recetas famosas, a especialidades o platos que cumplen las condiciones más exigentes. Las recetas incluyen además datos sobre su contenido energético (kilojulios, kilocalorías) y sus valores nutritivos (proteínas, grasas e hidratos de carbono).

Hacer una buena compra es esencial. Por consiguiente, al comienzo del libro se dan consejos prácticos sobre la elección y preparación de las ensaladas. Una serie de fotos en color va mostrando, paso a paso, cómo pueden conseguirse las salsas deseadas; por ejemplo, la famosa vinagreta, el aliño de limón, el aliño francés o la mayonesa casera. Se describen también las fases más importantes y frecuentes del proceso de la preparación de ensaladas.

La parte dedicada a las recetas se inicia con el apartado de «Ensaladas como entrada». Encontrará en ella sugerencias para cócteles de alcachofas, gambas, mejillones, langosta, codornices e incluso tofu. Descubrirá, además, refinadas combinaciones a base de pechuga de oca, salmón ahumado, filetes de trucha, cigalas o queso de oveja. No faltan tampoco las mezclas acreditadas de múltiples y variadas ensaladas de todas clases de lechuga y hortalizas con hierbas frescas, cereales o brotes, como saludable entrada a una comida.

Siguen luego las «Ensaladas para guarnición», en combinaciones, unas veces habituales y otras sorprendentes. Tiene donde elegir: ensalada de apio y nueces, ensalada de colinabo y germen de soja, ensalada de puerro con tocino, endibia roja con queso roquefort, ensalada de champiñones con berros o bien la ensalada sencilla de patatas. Como puede ver, la gama abarca todas las estaciones del año y rinde tributo a los más diversos matices de los sabores.

Si desea saciar su apetito a base única y exclusivamente de ensaladas, encontrará múltiples sugerencias en el capítulo dedicado a las «Ensaladas completas». Entran aquí, indudablemente, entre las recetas más señaladas, la ensalada italiana, la ensalada griega o la ensalada de buey con remolacha. Figuran también ensaladas dignas de las cocinas más exigentes, tales como la ensalada de gérmenes de lenteja, o a base de mijo, junto a las clásicas ensaladas de patatas, arroz o pasta, enriquecidas con múltiples ingredientes frescos.

El último capítulo está dedicado a las ensaladas para fiestas y reuniones. Aquí las recetas están siempre pensadas para 8 personas. Muchas de ellas son de fácil elaboración y todas contribuyen a garantizar el éxito de la velada. Usted y sus invitados se sentirán entusiasmados ante las nuevas y deliciosas creaciones.

Las últimas páginas en color presentan una selección de las principales lechugas y hortalizas adecuadas para las ensaladas, así como algunas novedades singulares, entre ellas la escarola de Batavia, la lechuga hoja de roble, la lechuga de cabeza suelta, la endibia roja de Verona, la lechuga *lollo rosso* o la col china Pak-Choi. Conocerá las épocas del año en que se dan estas variedades y obtendrá ideas interesantes sobre el modo más adecuado de tratarlas. Le resultará así fácil dar rienda suelta a su fantasía a la hora de elegir entre las diversas variedades de ensaladas y de cambiar unas verduras por otras según las estaciones del año.

Siguen las variedades de hortalizas que mejor se adaptan a las ensaladas crudas. Ya se trate del hinojo o de la col blanca, la remolacha, las judías o el apio; todas ellas son sanas y de rico sabor. Quien prefiera los brotes o gérmenes y las semillas, de alto valor nutritivo, encontrará algunas instrucciones de fácil ejecución.

El aceite y el vinagre son elementos capitales de toda ensalada. También, por consiguiente, se les dedica una visión panorámica. Sabrá así cuándo es más aconsejable el aceite de oliva, el de lino, el de semillas o nueces.

Respecto al vinagre, lo más importante son sus aromas refinados. Una serie de breves apartados le permitirá saber qué clases son especialmente recomendables para cada tipo de salsas. Se describen en este apartado el vinagre de manzana, el vinagre balsámico (conocido entre los aficionados a la cocina italiana como *aceto balsámico*) o el vinagre de vino de Jerez.

Resta ya tan sólo añadir algunas palabras sobre la salubridad de las ensaladas. No sólo tienen un sabor excepcionalmente agradable y fresco, sino que ofrecen, además, desde el punto de vista de la fisiología nutritiva, numerosas ventajas. Contienen valiosas vitaminas, minerales, oligoelementos y fibras.

Gracias a este libro conseguirá en toda ocasión poner fácilmente sobre la mesa, como por arte de magia, ensaladas, a un mismo tiempo sanas y culinariamente exquisitas.

Le desean satisfacción al prepararlas, éxito al agasajar a sus invitados y buen apetito.

**Annette Wolter
y los restantes colaboradores.**

Salvo indicación expresa, todas las recetas están calculadas para 4 personas.
Por lo demás, kJ y kcal significan, respectivamente, kilojulios y kilocalorías.

El valor de las ensaladas

Ya desde las primeras culturas prehistóricas los pueblos han sabido que comer verduras, vegetales y hortalizas variadas contribuye al bienestar del hombre. Hemos llegado al conocimiento de numerosas plantas gracias a sabios monjes que, mediante múltiples cruces, consiguieron nuevas semillas y cultivaron desconocidas especies en los jardines de los monasterios. Hoy día es de todos sabido que las ensaladas son muy saludables y que deberían formar parte del menú cotidiano.

El valor por la calidad

Una ensalada es tan buena como la calidad del conjunto de todos sus ingredientes. La primera elección debería recaer siempre sobre los productos del lugar, y, si puede ser, de cultivo natural. El transporte desde largas distancias disminuye la calidad. Si por razones estacionales la oferta del entorno inmediato es exigua, puede complementarse con otros vegetales procedentes de regiones o países distintos.

Consuma las verduras, las hierbas y las hortalizas lo más frescas que le sea posible conseguir, porque estos alimentos son los portadores principales de numerosas sustancias básicas, como vitaminas, minerales y oligoelementos que es preciso aportar al cuerpo mediante la alimentación. Un prolongado período de almacenamiento y un tratamiento inadecuado destruyen fácilmente estas sustancias, muy sensibles al oxígeno, la luz y el calor.

También los ingredientes de las salsas para ensaladas, como el aceite y el vinagre, deben responder a las más elevadas exigencias; los condimentos deben conservar todas sus propiedades aromáticas. Las verduras sólo deben cortarse o picarse y añadirse a la ensalada inmediatamente antes de aderezarlas o de servirlas.

Alimentos frescos

Con esta expresión se reemplaza hoy día el concepto de «alimentos crudos» o «régimen crudo», que para muchos tiene una connotación negativa. Los especialistas en temas nutritivos recomiendan, como entrada de cualquier comida, alimentos frescos. Entienden por ello una combinación de alimentos vegetales de alta calidad no sometidos a altas temperaturas. Dado que los valores nutritivos son sensibles a la acción del calor, sólo los alimentos que se conservan crudos ofrecen el máximo de contenidos esenciales. Debe cortar o picar las plantas tras haberlas limpiado y lavado a fondo, y debe aprovechar todas las partes comestibles, incluidas raíces, tallos, hojas, botones y semillas. La piel y la cáscara, así como las pepitas y otras muchas partes duras, aunque poco apetitosas, son a menudo portadoras de sustancias de gran poder nutritivo, así como de importantes fibras. Quedan excluidas del consumo en crudo las legumbres secas y las judías verdes, porque contienen elementos incompatibles, que deben ser previamente destruidos mediante cocción. Se excluyen asimismo las patatas, cuya fécula sólo es comestible después de hervida.

La variedad de las ensaladas

Junto a la amplia oferta de plantas para ensaladas vegetales, figuran también como ingredientes las más variadas clases de frutas y hortalizas —crudas, poco cocidas o blanqueadas—, además de pescados, carnes, mariscos, quesos, huevos y nutrientes, tales como tallarines, arroz y cereales.

Ensaladas y aliños para ensaladas

La salsa es el alma de una ensalada. Para una relación equilibrada de los ingredientes de un aliño ofrecemos esta regla, de carácter meramente aproximativo: 1 parte de vinagre y especias por cada 4 partes de aceite y de hierbas. El aceite y el vinagre pueden sustituirse por zumo de limón, crema de leche, yogur o requesón.

Tras mezclarla con la salsa, en un cuenco lo más grande posible, ponga la ensalada en un cuenco o fuente de servir de cristal, cerámica o porcelana.

Los recipientes de madera no dan tan buenos resultados, porque se limpian peor y, además, con el uso adquieren cierto sabor a rancio. Las ensaladas de lechuga deben servirse inmediatamente después de haber sido aliñadas, porque el aceite reblandece las hojas tiernas. Si la ensalada tiene que esperar todavía unos minutos en la cocina, antes de servirla mézclela con el aliño, vierta encima algunas gotas de aceite y revuélvala ya en la mesa. Cuando la ensalada se compone básicamente de partes sólidas, tras mezclarla con la salsa, tápela y déjela macerar a temperatura ambiente 15 ó 30 min.

Las *crudités* —lechuga y verduras crudas—, tan apreciadas en Francia, se cortan en trozos y se colocan decorativamente en un plato. Añada aparte una salsa vinagreta, o bien aliños de diferentes clases. Los aliños y salsas pueden sazonarse de varias maneras. Además de la sal y de la pimienta recién molida, van bien las especias y hierbas habituales, así como el coñac, el extracto o copos de levadura, los ajos, el raiforte, todo tipo de mostazas y granos de mostaza majados, el sésamo tostado, el vinagre de Jerez, la salsa de soja, el tomate concentrado, el vino y las cebollas. Para un toque agridulce, en vez de azúcar es preferible el jarabe de arce, el zumo de manzana o de ciruela, la miel, el ketchup, el chutney de mango o el azúcar de caña granulado.

Adornar la ensalada

Tiene aquí cabida todo cuanto le guste y tenga sabor agradable. Por supuesto, casi siempre todo debe estar cuidadosamente cortado, ya sea en dados, en rodajas o en anillos, para que la ensalada tenga un aspecto verdaderamente atractivo.

Aliños exquisitos para ensaladas

Salsa vinagreta

Su nombre procede de la palabra vinagre. Se trata, pues, de una salsa de acusado sabor ácido, que puede servir de magnífico condimento para toda clase de verduras. Por supuesto, tiene aquí una gran importancia la calidad del vinagre empleado. El vinagre balsámico italiano se adapta excepcionalmente bien a todo tipo de ensaladas a base de verduras mediterráneas, mientras que el vinagre de manzana está indicado en las ensaladas con acusado sabor propio y el vinagre de vino blanco es más aconsejable para las ensaladas de frutas aromáticas.

Para 4 porciones pique primero 4 ramitas de estragón, perifollo, cebollino y perejil fresco. Añada 2 escalonias pequeñas.

Mayonesa

Puede comprarse ya hecha. Con el 80 % de grasas es adecuada para guarniciones y con el 50 % para ensaladas; esta última recibe el nombre específico de mayonesa ligera o para ensaladas. Los entendidos prefieren prepararla por sí mismos, aunque es algo delicada, porque es absolutamente necesario que todos los ingredientes tengan la misma temperatura (a ser posible la temperatura ambiente) para que la mayonesa no se corte.

Para 4 porciones casque 2 huevos de unos 60 g y separe las claras de las yemas.

Salsa de limón y crema

El agradable sabor ácido de esta aterciopelada salsa armoniza con todo tipo de verduras para ensalada, con los espárragos y los guisantes verdes tiernos, el apio y las hortalizas variadas. Si quiere rebajar algo el sabor ácido, disuelva en el zumo de limón 1/2 cucharadita de azúcar. Importante: Deje fluir la crema de leche en un hilillo fino sobre el zumo de limón, mientras remueve constantemente con la batidora de varillas.

Remueva el zumo recién exprimido de 1 limón con 1/2 cucharadita de sal y 1 buena pizca de pimienta blanca recién molida, hasta que la sal quede completamente disuelta.

Aliño de mango

Se trata de un aliño de fruta, cremoso, que realza no sólo ingredientes nobles, tales como la carne, las gambas, quisquillas, bogavantes y langostas, sino también las hojas de ensalada tiernas. Estas ensaladas pueden enriquecerse con huevo duro, guisantes, maíz o setas, carnes de ave asadas o jamón fino.

Pele 1 mango duro, córtelo en gajos hasta el hueso, divídalo en dados pequeños y mézclelos con 2 cucharaditas de zumo de limón.

Mezcle 1/2 cucharadita de sal y 1 pizca de pimienta blanca recién molida con 2 cucharadas de vinagre de vino blanco y remueva hasta que la sal esté completamente disuelta.

Mezcle bien 4-5 cucharadas de aceite de primera calidad y las hierbas con las escalonias. Si lo desea, puede añadir algo de ajo majado.

Bata suavemente las yemas con 1/2 cucharadita de sal, 1 pizca de pimienta blanca recién molida y 1 cucharada de vinagre suave. Añada 10 cucharadas de aceite, primero gota a gota y luego en un hilillo fino.

Importante: Bata de forma regular y constante para conseguir una salsa dorada homogénea. Si queda una película de grasa sobre la mayonesa, añada unas gotas de agua templada.

Bata ininterrumpidamente 2 dl de crema de leche vertida en un hilillo fino sobre el zumo de un limón. A medida que vaya batiendo, la salsa se irá haciendo cada vez más espesa.

Bata la salsa el tiempo necesario para obtener una crema suave. Extienda la salsa sobre la ensalada preparada.

Caliente 2 cucharaditas de miel en un poco de zumo de naranja y disuelva la mezcla, añada 1 pizca de sal, 1 cucharadita de mostaza suave, 6 cucharadas de crema de leche y bata a fondo.

Agregue 2 cucharadas de queso de crema fresco a la mezcla de crema y miel e incorpore los dados de mango. Aliñe con sal, mostaza y también al gusto, con un poco de miel. córtelo en trozos muy finos.

Salsa de las mil islas

La base de la salsa de fantasía de las mil islas es una mayonesa ligera para ensaladas. Se trata en realidad de un producto que se vende ya acabado y preparado, pero que también puede prepararse fácilmente en casa para darle un toque personal. Combina bien con ensaladas mixtas y ensaladas de carne y aves.

Pique finamente 1 pepinillo pequeño en vinagre. Pele 1/2 escalonia pequeña y rállela con el rallador.

Aliño de yogur a las hierbas

Esta apreciada salsa, refrescante, ligera y nutritiva, cuadra bien con las verduras para ensalada de todas las épocas del año y despierta también todo el sabor de las hortalizas almacenadas en invierno o traídas desde lejos, como zanahorias, coles, calabacines, berenjenas o pepinos. Pueden utilizarse en su elaboración hasta 7 clases de hierbas, pero lo mejor es, por supuesto, el aroma de las que están frescas.

Lave, seque y pique finamente albahaca, eneldo, perifollo, perejil, romero, cebollino y tomillo.

Salsa de mostaza de Dijon

Hemos dosificado moderadamente la mostaza para esta salsa de fuerte sabor aromático. Depende enteramente de los gustos personales el que predomine la mostaza o que la salsa tenga un sabor más discreto. Puede, a su entera discreción, añadir un poco más de mostaza o rebajar el sabor picante con un poco más de azúcar.

Maje finamente en el almirez 7 granos de mostaza blanca y 2 granos de pimienta blanca.

Salsa al queso roquefort

En esta salsa predomina el sabor típico del queso roquefort y va bien con todas las ensaladas verdes y con las ensaladas mixtas de sabores con personalidad y refinado aroma, como las hechas con aguacates, endibias, maíz o calabacines. Resulta también agradable con apio, pepinos o tomates.

Aplaste con un tenedor 50 g de queso roquefort con 3 cucharadas de crema de leche y remueva hasta obtener una mezcla blanda.

Ase en el horno 1/4 de pimiento rojo hasta que la piel estalle; pélelo y córtelo en trozos muy finos.

Pase 2 yemas de huevo duro por un tamiz y mézclelas con 50 g de mayonesa ligera, 3 cucharadas de crema de leche y otras 3 de ketchup, 1 pizca de sal y otra de pimienta de Cayena molida, el pepinillo, los trozos del pimiento y la escalonia rallada.

Pele 1 cebolla y 1 diente de ajo. Pique la cebolla finamente. Exprima el ajo con el prensaajos.

Bata 100 g de yogur desnatado con las hierbas, la cebolla, el ajo y 1,5 dl de crema de leche; sazone con un poco de sal y pimienta blanca recién molida.

Mezcle los granos majados con 1 cucharada de mostaza de Dijon, 1 cucharadita de vinagre de vino blanco y 1/2 cucharadita de azúcar.

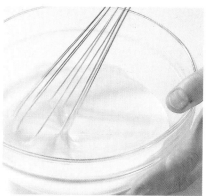

Incorpore 1 dl de crema de leche y 1 *petit-suisse* al natural, mezclados, al cuenco, y sin dejar de batir hasta formar una crema. Agregue 1 pizca de sal y 1 yema de huevo y bata con la mezcla de la mostaza.

Bata 50 g de requesón magro con 1 cucharada de vinagre de vino blanco y 2 cucharadas de vino blanco seco.

Bata las dos mezclas de queso con una batidora de varillas hasta que se vuelvan cremosas. Si es necesario, alargue la salsa con un poco de caldo de ave desgrasado y frío.

Aliños exquisitos para ensaladas

Aliño francés

Es un aliño muy especialmente adecuado para todo tipo de hojas para ensalada, tiernas y frescas en todas las estaciones del año, así como con pepinos, tomates, calabacines y ensaladas a base de judías verdes cocidas. Según la combinación, mezcle el aliño con cebolla recién picada.

Mezcle 2 cucharadas de zumo de limón con 2 pizcas de sal, 2 pizcas de pimienta negra recién molida, 2 pizcas de mostaza en polvo y 1/2 cucharadita de azúcar, hasta que la sal y el azúcar estén completamente disueltas.

Salsa de manzana y raiforte

Esta especialidad austríaca tiene la consistencia de un puré y resulta singularmente apetitosa con carne de ternera cocida. Rebajada a salsa, tiene un sabor agradable en ensaladas, con gusto un tanto acusado y peculiar, como las hechas con berros o en combinaciones a base de apio, col roja, espinacas, acederas o de carne de ternera cocida y de cerdo ahumada.

Pele 2 manzanas no demasiado ácidas y rállelas con el rallador.

Salsa para ensalada italiana

Nos trae el aroma, tan típico de Italia, del aceite de oliva virgen y el sabor de la albahaca fresca. Cuenta, por supuesto, con más de una receta. Nos sirvieron la siguiente versión con una ensalada de lechuga y tomate.

Pele 2 escalonias pequeñas y rállelas. Corte unas 2 cucharadas de hojitas de albahaca muy menudas.

Salsa cóctel

Esta deliciosa salsa a base de mayonesa tiene un acusado y refinado sabor a cóctel, denominación aplicada a ensaladas para entradas singularmente exquisitas, servidas en las típicas copas para cóctel. En estas preparaciones entran mariscos, carnes de primera calidad, aves de caza, volatería y filetes mezclados con frutas ligeramente agridulces, setas y huevos.

Pele 1 manzana pequeña, rállela con el rallador y mézclela con 1 cucharada de zumo de limón.

Bata suave y lentamente con la batidora de varillas 5 cucharadas de aceite de oliva, o de nueces, de primera calidad con los ingredientes antes preparados.

Tome un manojo de cebollinos y con las tijeras de cocina corte finamente sobre la salsa unas 2 cucharaditas y mézclelo luego todo con la ensalada.

Pele y lave un trozo de raiforte fresco de 7 a 10 cm de longitud, rállelo y mézclelo con las manzanas ya ralladas y 1 cucharada de zumo de limón.

Sazone la mezcla con sal y azúcar y agregue zumo de manzana natural hasta obtener una salsa espesa.

Bata 3 cucharadas de vino blanco seco y 1 cucharada de vinagre de vino blanco con 1 pizca de sal y 1 pizca de pimienta blanca recién molida, hasta que la sal se disuelva.

Bata suavemente con una batidora de varillas los ingredientes preparados, junto con 5 cucharadas de aceite de oliva virgen. Aliñe de nuevo con sal y pimienta.

Mezcle 1 pizca de sal, 1 pizca de pimienta blanca recién molida, 1 cucharada de raiforte rallado y 3 cucharadas de zumo de piña con la manzana rallada.

Bata suavemente con la batidora de varillas 4 cucharadas de mayonesa ligera, 3 cucharadas de ketchup y 1 cucharada de vino blanco, junto con los ingredientes antes preparados.

Operaciones importantes

Preparar pimientos

Los pimientos, en todas sus variedades, prestan a las ensaladas color y frescor aromáticos. Consumidos crudos encierran la mayoría de las sustancias nutritivas, si bien la piel es de difícil digestión. Por tanto, para estómagos delicados es necesario pelarlos.

1 Lave los pimientos, séquelos bien, asélos en la parrilla del horno a 210° C hasta que la piel se levante en ampollas.

2 Envuelva los pimientos en un lienzo húmedo, déjelos enfriar y quíteles la piel con un cuchillo puntiagudo.

3 Trocee los pimientos, quite los tallos, membranas y semillas, y córtelos en dados o tiras, según la receta.

4 Si desea cortarlos en anillos, parta por la mitad a la ancho los pimientos pelados. Quite membranas y semillas y corte las mitades en anillos.

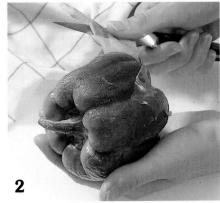

Cortar cebollas

Ya ha sido ganada la batalla contra el lagrimeo a la hora de cortar cebollas. Basta con mojar en agua fría y dejar sin secar las cebollas, el cuchillo y la tabla de picar. Cuando se dominan los secretos de la cocina se corta la cebolla en dados o en anillos con tal rapidez que no hay tiempo para las lágrimas.

1 Corte por la mitad y a lo largo la cebolla ya pelada. Corte en capas finas las mitades en sentido vertical, hasta cerca del final de la raíz, pero sin separar las capas.

2 Apriete fuertemente una mitad y haga cortes horizontales hasta llegar cerca del final de la raíz.

3 Corte una mitad verticalmente en rodajitas finas. Subdivídalas a continuación en dados.

4 Si desea obtener anillos corte transversalmente toda la cebolla en rodajas finas y tendrá así los anillos deseados.

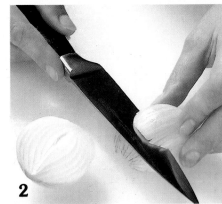

Preparar hortalizas

En las ensaladas a base de hortalizas crudas deberá preparar éstas con especial esmero. Aparte de las hojas para ensalada son excepcionalmente aptas para su consumo en crudo las endibias, las zanahorias, el apio y los calabacines, a condición de que observe las siguientes reglas:

1 Quite las hojas exteriores maltrechas o estropeadas de las endibias, recorte las puntas de las raíces y extraiga con un cuchillo puntiagudo la cuña inferior amarga.

2 Por lo que hace a las zanahorias, cepíllelas a fondo bajo el chorro del agua templada, séquelas y ráspelas con un cuchillo (si utiliza el raspador se pierde mucho jugo).

3 Levante con un cuchillo, de arriba abajo, los hilos gruesos de los tallos de apio.

4 Cuando los calabacines sean grandes, séquelos, divídalos por la mitad, corte las mitades en tiras a lo largo y luego éstas en rodajas, para conseguir al final pequeños dados.

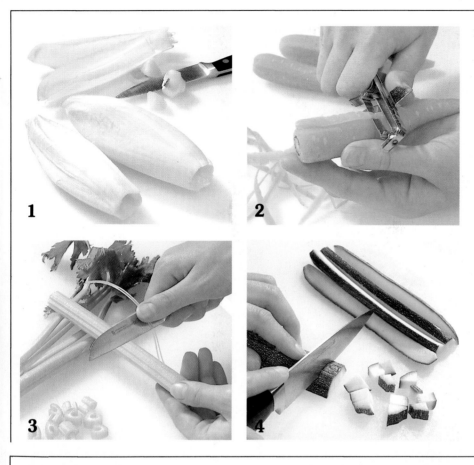

Picar hierbas

Las hierbas deben cortarse en trocitos menudos muy poco antes de ser consumidas. Si permanecen cortadas durante mucho tiempo, pierden una gran parte de sus sustancias nutritivas. De ordinario, las hierbas se pican o desmenuzan; sólo en contadas ocasiones se cortan en tiras.

1 Lave a fondo los manojos o ramitos de hierbas bajo el agua corriente templada y póngalas luego a secar.

2 Quite todos los tallos gruesos y coloque sobre la tabla de picar las hojitas en pequeños haces. Desmenuce las hojitas en trozos pequeños con el cuchillo de picar.

3 Las hierbas pueden picarse con un cuchillo de hoja ancha rematado en punta. Sujete firmemente la punta y pase la hoja por las hierbas de arriba abajo y por varios lados.

4 Una vez lavadas, seque los cebollinos y córtelos a continuación en trocitos con las tijeras de cocina. A veces es posible cortarlos y verterlos directamente sobre las salsas o ensalada.

Ensaladas como entradas

Exquisitas y deliciosas ensaladas, que siempre proporcionan, ya sea como entradas, pequeños entremeses o comidas ligeras, agradables sorpresas.

Exquisitas ensaladas con suprema de oca y solomillo de cerdo

Composiciones con carne y fantasía

Supremas de oca con ensalada de pimientos

A la izquierda de la foto

1 pimiento rojo, 1 verde
y 1 amarillo

2 escalonias · 1 diente de ajo

100 g de champiñones

1 cucharadita de mantequilla

2 pizcas de sal y pimienta negra
recién molida · 1 guindilla

2 cucharadas de zumo de limón

3 cucharadas de aceite de
sésamo · 1 pizca de azúcar

1 cucharadita de toronjil picado

150 g de suprema (pechuga) de
oca ahumada en lonchas finas

Coste medio • Rápida

Por persona 500 kJ/120 kcal ·
11 g de proteínas · 6 g de
grasas · 6 g de hidratos de C.

Tiempo de preparación: 25 min.

Lave y limpie los pimientos. Córtelos a partir de un extremo, en anillos finos. • Lave la guindilla, pártala por la mitad, quite las semillas y las membranas y corte las mitades en rodajitas. • Pique finamente las escalonias y el ajo. • Lave y pique también en trozos menudos los champiñones. • Caliente la mantequilla en una sartén y fría en ella las escalonias y el ajo hasta que adquieran un aspecto transparente. • Añada los champiñones picados y fría lentamente mientras remueve, hasta que se espese el fondo de cocción. Aliñe la mezcla con 1 pizca de sal y pimienta y deje enfriar. • Bata a fondo el zumo de limón con el azúcar, 1 pizca de sal y otra de pimienta con el aceite y mezcle con los champiñones y el toronjil. • Coloque en 4 platos los anillos de los pimientos, esparza sobre ellos las guindillas y distribuya por encima la salsa de champiñones. Coloque a continuación las rodajas de pechuga de oca.

Ensalada de hierba de los canónigos y solomillo de cerdo

A la derecha de la foto

250 g de hierba de los canónigos

300 g de solomillo de cerdo

50 g de tocino ahumado
entreverado

1 cucharadita de aceite

2 pizcas de sal y pimienta negra
recién molida

2 cucharadas de vinagre
balsámico

1 cucharadita de mostaza
semifuerte

6 cucharadas de aceite de
nueces

Coste medio

Por persona 1 090 kJ/260 kcal ·
16 g de proteínas · 21 g de
grasas · 2 g de hidratos de
carbono

Tiempo de preparación: 30 min.

Limpie, lave y deje secar la hierba de los canónigos. • Quite la membrana del solomillo de cerdo. Corte el tocino en dados pequeños. • Caliente el aceite en una sartén y fría bien el tocino a fuego lento. Deje escurrir los dados sobre papel de cocina. • Fría unos 10 minutos el solomillo en la grasa de tocino. Espolvoree la carne con 1 pizca de sal y 1 pizca de pimienta, envuélvala en papel de aluminio y déjela reposar. • Remueva bien el vinagre con la mostaza, 1 pizca de sal, 1 pizca de pimienta y mezcle a fondo con el aceite. • Aliñe con ello la hierba de los canónigos y distribúyala en 4 platos. • Corte en rodajas diagonales el solomillo y póngalo junto a la ensalada. Vierta un poco de salsa sobre la carne. • Reparta los dados de tocino sobre la ensalada.

Ensalada de lentejas con suprema de pato

Totalmente distinta de una ensalada casera

50 g de tocino ahumado entreverado · 1 cebolla pequeña
2 zanahorias pequeñas
100 g de hierba de los canónigos
250 g de suprema (pechuga) de pato · 100 g de lentejas
2 pizcas de sal y pimienta negra recién molida
½ cucharadita de hojitas de mejorana
4 cucharadas de aceite de nueces
4 cucharadas de vinagre de Jerez

Elaborada

Por persona 1 300 kJ/310 kcal · 23 g de proteínas · 13 g de grasas · 23 g de hidratos de carbono

Tiempo de remojo: 2 horas
Tiempo de preparación: 45 min.

Ponga a remojar las lentejas en agua abundante durante 2 horas, cuele las lentejas y déjelas cocer en 1 l de agua unos 15 min., pero sin que se reblandezcan demasiado. A continuación deje escurrir bien las lentejas. • Precaliente el horno a 210° C. • Corte el tocino en dados muy pequeños. • Pele las zanahorias y córtelas en rodajas finas. Pele la cebolla y córtela en dados pequeños. Prepare y lave la hierba de los canónigos y séquela a continuación. • Quite la grasa y las membranas de la pechuga de pato y frote la carne con 1 pizca de sal, 1 de pimienta y la mejorana. • Caliente 1 cucharada de aceite en una sartén de fondo frueso y fría en ella 5 min. la pechuga por el lado de la piel. Ponga la pechuga en la rejilla del horno y áselo 10 min., sáquela y déjela reposar un poco. • Dore los dados de cebolla y las rodajas de zanahoria y sofría de 7 a 8 min. • Prepare una salsa con el vinagre, 1 pizca de sal, 1 de pimienta y 2 cucharadas de aceite; agréguela a la hierba de los canónigos y distribúyala en 4 platos. Reparta en éstos las lentejas y la mezcla de tocino y verduras sin la grasa del asado. Corte en rodajas la suprema de pato, todavía caliente, y colóquelas encima en forma de abanico.

Entradas especiales: cócteles de gambas

Si desea hacer personalmente la mayonesa, recuerde que todos los ingredientes deben estar inexcusablemente a temperatura ambiente

Ensalada de gambas y piña

A la izquierda de la foto

300 g de gambas hervidas
4 rodajas de piña natural de
1 cm de grosor (400 g)
4 hojas grandes de lechuga
arrepollada · 1 yema de huevo
1 cucharadita de vinagre de vino
blanco
½ taza de aceite de cártamo
1 trozo pequeño de jengibre en
almíbar · 1 escalonia
1 pizca de sal y pimienta blanca
recién molida
½ manojo de perejil

Coste medio • Fácil

Por persona 1 220 kJ/290 kcal ·
18 g de proteínas · 17 g de
grasas · 15 g de hidratos de
carbono

Tiempo de preparación: 46 min.
Tiempo de maceración: 15 min.

Pele las gambas. Pele las rodajas de piña y córtelas en trocitos pequeños, quitando el tronco duro del centro. Guarde el jugo que se desprende. Mezcle los trozos de piña con las gambas. • Lave y deje secar las hojas de lechuga. • Amalgame con vinagre la yema del huevo y vaya añadiendo aceite a medida que bate. Mezcle con el zumo de piña. • Corte en dados muy finos el jengibre en almíbar, pele la escalonia y córtela también en cuadrados finos y mezcle ambos con la salsa. Aliñe con sal y pimienta. • Ponga las hojas de lechuga ya preparadas en 4 platos, distribuya por encima las gambas mezcladas con los trozos de piña y vierta la salsa cóctel. • Lave el perejil, séquelo y adorne cada plato con un manojito.

Ensalada de gambas y espárragos

A la derecha de la foto

200 g de espárragos de tamaño
medio · 1 pizca de azúcar
½ l de agua · 1 pizca de sal
½ cucharadita de mantequilla
4-6 hojas de lechuga arrepollada
½ cucharadita de mostaza
semifuerte
5 cucharaditas de aceite de
girasol · 1 yema de huevo
1 cucharada de ketchup
1 cucharada de coñac
1 pizca de sal y pimienta blanca
Unas gotas de angostura
200 g de gambas hervidas y
peladas
Unos berros o un poco de
eneldo

Coste medio • Fácil

Por persona 1 010 kJ/240 kcal ·
14 g de proteínas · 18 g de
grasas · 3 g de hidratos de
carbono

Tiempo de preparación: 50 min.

Pele finamente, de arriba abajo, los espárragos y quite los extremos duros. Lave los tallos con agua fría y córtelos en trozos de unos 5 cm de longitud. • Hierva el agua con la sal, el azúcar y la mantequilla, cueza los trozos de espárrago unos 15 minutos a fuego lento y deje que se escurran en un colador. • Lave y seque las hojas de lechuga, córtelas en tiras finas y distribúyalas en 4 platos. • Bata bien la yema de huevo con la mostaza. Incorpore, removiendo constantemente, el aceite, primero gota a gota y luego en un hilillo fino. Añada el ketchup y el coñac y condimente la salsa con la sal, la pimienta y la angostura. • Mezcle las gambas con los trozos de espárrago, distribuya en platos individuales y vierta la salsa por encima. • Adorne con berros o eneldo.

Ensaladas para personas exigentes

Para cuando quiera agasajarse a sí mismo y a los demás

Cóctel de alcachofas

A la izquierda de la foto

1 cucharada de mantequilla
250 g de filetes de pechuga de pollo · 2 yemas de huevo
1 pizca de sal · ⅛ l de aceite
1 cucharada de zumo de limón
6 cucharadas de ketchup
1 cucharada de miel líquida
1 pizca de pimienta de Cayena
8 corazones de alcachofas enlatados · 1 diente de ajo
16 aceitunas rellenas de pimiento
160 g de jamón en dulce
1 manojo de berros · ½ limón

Coste medio

Por persona 2 010 kJ/480 kcal · 31 g de proteínas · 36 g de grasas · 9 g de hidratos de carbono

Tiempo de preparación: 30 minutos

Caliente en una sartén la mantequilla. Fría en ella, 4 minutos por lado y a fuego moderado, la carne de pollo. Sáquela y deje enfriar. • Mezcle y bata bien la yema, la sal y el zumo de limón. Añada el aceite, batiendo con la batidora de varillas, primero gota a gota y luego en un hilillo fino. • Pele el ajo y exprímalo con el prensaajos sobre la mayonesa. Añada el ketchup, la miel, la pimienta de Cayena y de 2 a 3 cucharadas de agua. • Deje escurrir los corazones de alcachofas y las aceitunas. Trocee las alcachofas. • Corte el jamón en dados pequeños y la carne de pollo en lonchitas. • Lave los berros bajo el chorro del agua fría y séquelos a continuación. • Distribuya en 4 platos individuales la mitad de la salsa. Coloque en los platos los corazones de alcachofas, la carne de pollo, las aceitunas, el jamón y los berros. Vierta por encima el resto de la salsa y adorne con rodajas de limón.

Frutas con lechuga iceberg

A la derecha de la foto

1 cogollo pequeño de lechuga iceberg
1 cucharada de vinagre de hierbas · 1 pizca de sal
2 cucharadas de aceite de semillas · 3 tallos de apio
250 g de fresones · 1 aguacate
200 g de gambas hervidas
2 cucharadas de zumo de limón
1,2 dl de crema de leche
3 cucharadas de mayonesa ligera
½ cucharadita de pimienta blanca recién molida
1 cucharada de coñac
Unas ramitas de toronjil

Coste medio • Fácil

Por persona 1 800 kJ/430 kcal · 14 g de proteínas · 34 g de grasas · 18 g de hidratos de C.

Tiempo de preparación: 30 min.

Separe las hojas de la lechuga iceberg, lávelas con agua fría y déjelas escurrir. Mezcle el vinagre con la sal y el aceite. Tapice una fuente con las hojas de lechuga secadas y rocíelas con la salsa. • Quite los hilos gruesos de los tallos de apio, lávelos, séquelos y córtelos en rodajitas. • Lave los fresones, séquelos y córtelos por la mitad. Trocee los de mayor tamaño y arranque los pecíolos. • Parta en dos el melón, quite las pepitas y extraiga la pulpa con un vaciador. Divida en mitades el aguacate, quite el hueso y corte la fruta en dados. • Pele las gambas, méclelas con las frutas y rocíelas con el zumo de limón. • Bata la crema de leche hasta que empiece a espesar. Mezcle la mayonesa, la pimienta, el coñac y el azúcar. • Añada a la lechuga la ensalada de frutas y póngalo todo a enfriar. • Vierta la crema batida sobre la ensalada y reparta por encima las hojitas de toronjil.

Entradas plenas de color y sabor

Pobres en calorías, a pesar del queso y el salami, y muy aromáticas

Ensalada de pimientos con salami

A la izquierda de la foto

1 pimiento amarillo
1 cebolla blanca grande
100 g de salami en rodajas finas
½ manojo de perejil
½ cucharadita de sal
3 cucharadas de vinagre de vino tinto · 2 dientes de ajo
3 cucharadas de aceite de semillas · 1 pimiento rojo
1 pizca de pimienta negra recién molida · 2 pimientos verdes

Económica • Rápida

Por persona 880 kJ/210 kcal · 7 g de proteínas · 17 g de grasas · 9 g de hidratos de carbono

Tiempo de preparación: 25 min.
Tiempo de reposo: 8 a 10 min.

Corte por la mitad los pimientos, quite membranas, semillas y tallos. Lave y seque las mitades y córtelas en tiras finas. • Pele la cebolla y córtela en anillos finos. • Trocee las rodajas de salami. • Mezcle en una fuente las tiras de pimiento, los anillos de cebolla y el salami. • Lave y seque el perejil, quite los tallos, píquelo finamente y espárzalo sobre la ensalada. • Pele los dientes de ajo, córtelos en trozos pequeños, espolvoréelos con sal y macháquelos. Mezcle bien el vinagre de vino tinto con el ajo, el aceite y la pimienta. Aliñe la ensalada con la salsa, tápela y déjela reposar de 8 a 10 minutos. • Con este plato van bien las tostadas de pan integral con mantequilla o el pan moreno fresco.

Nuestra sugerencia: Conviene comprar en verano los pimientos amarillos, porque es cuando son particularmente muy aromáticos. Si quiere dar un poco más de ale-gría a esta ensalada, puede quitar las membranas y semillas de una de esas guindillas, pequeñas pero terroríficamente picantes, y añadirla a la ensalada cortada en finas rodajitas.

Ensalada de endibia roja y queso

A la derecha de la foto

1 cogollo grande de endibia roja de Verona
200 g de champiñones
2 cebollas rojas · 1 pera
150 g de queso emmental
1 cucharadita de mostaza
2 cucharaditas de vinagre de hierbas
½ cucharadita de sal
½ cucharadita de pimienta negra recién molida
2 cucharadas de aceite de nueces
1 ramillete de cebollino

Económica • Fácil

Por persona 1 090 kJ/260 kcal · 14 g de proteínas · 16 g de grasas · 15 g de hidratos de carbono

Tiempo de preparación: 30 min.

Trocee la endibia, lave los trozos y déjelos secar. • Prepare y lave los champiñones, séquelos y córtelos en lonchas finas. • Pele la cebolla y córtela en anillos finos, corte en lonchas y luego en tiras el queso emmental. • Lave la pera, trocéela, quítele el corazón, pélela y corte los trozos en rodajitas. • Remueva bien la mostaza con el vinagre, mezcle a fondo el aceite y la salsa con los ingredientes de la ensalada. • Lave, seque y corte finamente el cebollino. Sirva la ensalada con el cebollino repartido por encima. • Puede acompañar esta ensalada con una barra de pan blanco fresca y crujiente.

Ensalada de espinacas con salmón ahumado

Exquisita para empezar el menú

200 g de hojas tiernas de espinacas
1 cebolla blanca grande
4 huevos duros
200 g de salmón ahumado
½ manojo de eneldo
2 cucharadas de zumo de limón
1 pizca de sal y azúcar
1 yogur
1 ½ cucharadas de crema de leche espesa
1 ½ cucharadas de *petit-suisse*
½ cucharadita de pimienta negra recién molida

Coste medio • Rápida

Por persona aproximadamente 1 380 kJ/330 kcal · 28 g de proteínas · 22 g de grasas · 9 g de hidratos de carbono

Tiempo de preparación: 30 min.

Quite a las espinacas los tallos gruesos, lávelas y escúrralas bien. • Pele la cebolla y córtela en anillos muy finos. • Corte los huevos en rodajas. • Corte el salmón en tiras. • Lave el eneldo, séquelo y córtelo muy finamente. • Coloque las hojas de espinacas en el fondo de una ensaladera o en 4 platos. Distribuya por encima los aros de cebolla y las tiras de salmón. Esparza el eneldo y coloque sobre él las rodajas de huevo. • Bata el zumo de limón con la sal y el azúcar. Mezcle el yogur con la crema de leche, el *petit-suisse* y el zumo de limón y rocíe con ello la ensalada. Espolvoree ésta con pimienta recién molida.

Nuestra sugerencia: También puede cortar las hojas de espinacas en tiras y mezclarlas con rodajas de huevo, tomates troceados y anillos de cebolla y sustituir las tiras de salmón por jamón. En este caso aliñe la ensalada con una salsa vinagreta (página 10).

Ensalada de judías con paté de oca

Una entrada muy apropiada para menú festivos

500 g de judías verdes tiernas
¼ l de agua
1 cucharadita de sal
4 ramitas de ajedrea
1 escalonia
3 cucharadas de vinagre de Jerez
1 pizca de sal · pimienta blanca recién molida · azúcar y mostaza · 4 cucharadas de aceite de nueces
50 g de nueces descascaradas
150 g de paté de oca

Coste medio • Fácil

Por persona aproximadamente 1 210 kJ/290 kcal · 25 g de proteínas · 23 g de grasas · 10 g de hidratos de carbono

Tiempo de preparación: 30 min.
Tiempo de reposo: 2 horas

Prepare y lave las judías. Ponga a hervir el agua con la sal y 2 ramitas de ajedrea. Cueza en ella las judías durante 15 minutos. Sáquelas y escúrralas bien en un colador. • Corte el resto de la ajedrea en trocitos pequeños, pele la escalonia, píquela muy finamente y mezcle ambas con el vinagre, la sal, la pimienta, el azúcar y la mostaza, removiendo bien. Añada el aceite de nueces. • Agregue las judías y las nueces a la preparación y mezcle con cuidado. Deje reposar la ensalada un mínimo de 2 horas. • Corte el paté en lonchas finas y distribúyalo decorativamente sobre la ensalada de judías dispuesta en una fuente. • Puede acompañarla con pan blanco tierno y mantequilla salada.

Nuestra sugerencia: Si esta ensalada de judías le resulta demasiado costosa por el paté de oca, puede sustituirlo por cualquier otro paté de hígado.

Cóctel de mejillones

Especialmente exquisito combinado con champiñones

2 dientes de ajo

1 kg de mejillones

⅛ de vino blanco seco

El zumo de 1 limón

1 pizca de sal y pimienta blanca recién molida

6 cucharadas de aceite de oliva

2 cucharadas de cebollino picado

½ cucharadita de hojitas frescas de mejorana

350 g de champiñones pequeños

1 limón grande

Elaborada

Por persona aproximadamente 670 kJ/160 kcal · 14 g de proteínas · 6 g de grasas · 7 g de hidratos de carbono

Tiempo de preparación: 50 min.

Pele y pique finamente los dientes de ajo. • Cepille a fondo, bajo el chorro del agua corriente, los mejillones y desbárbe-los con un cuchillo. Tire los mejillones abiertos. • Ponga a cocer los mejillones, el ajo y el vino y déjelos abrir, a fuego vivo y tapados, unos 10 minutos; al cabo de este tiempo deben estar abiertas todas las valvas. Agite mientras tanto fuertemente el recipiente. Escurra los mejillones y tire los que no se hayan abierto. Déjelos enfriar un poco y sáquelos de las valvas. • Bata el zumo de limón, la sal, la pimienta y el aceite de oliva para hacer una salsa. Mezcle el cebollino y la mejorana. • Limpie y lave los champiñones y córtelos en rodajas finas. • Póngalos con los mejillones en una fuente. Vierta encima la salsa y mezcle con cuidado todos los ingredientes. • Deje macerar la ensalada 30 minutos. • Corte el limón en rodajas muy finas, póngalas en una fuente y coloque en el centro la ensalada.

Espárragos y jamón con mijo

una exquisita variante de los espárragos clásicos

100 g de mijo · ½ l de agua

1 pizca de sal · ½ dl de leche

500 g de espárragos verdes

½ dl de crema de leche

½ cucharadita de sal marina y curry · 2 huevos

20 g de mantequilla

1 cucharada de cebollino picado

100 g de jamón ahumado en 8 lonchas

2 cucharadas de vinagre de vino blanco

1 pizca de sal marina

1-2 pizcas de pimienta blanca recién molida

2 cucharadas de aceite de cártamo

2 cucharadas de hierbas recién picadas (por ejemplo, perejil, eneldo, estragón, toronjil)

1 huevo duro

Receta integral

Por persona 1 890 kJ/450 kcal · 20 g de proteínas · 31 g de grasas · 25 g de hidratos de carbono

Tiempo de preparación: 50 min.

Ponga a hervir el mijo en el agua con la sal durante 15 minutos; añada la leche y deje cocer 5 minutos más. Quite el mijo del fuego y téngalo en remojo otros 10 minutos. • Lave los espárragos, corte y quite los extremos duros, cubra con agua los tallos, hiérvalos 15 minutos y escúrralos bien. • Bata los huevos, la crema de leche, la sal y el curry y mézclelos con el mijo. • Derrita la mantequilla en una sartén, tome ¼ de la mezcla de mijo, 4 tortillitas y colóquelas en 4 platos. Esparza el cebollino por encima. • Envuelva los espárragos en las lonchas de jamón y póngalos en los platos. • Prepare la salsa batiendo el vinagre, la sal marina, la pimienta, el aceite y las hierbas. Pele el huevo, píquelo finamente y mézclelo con la salsa. Acompañe con la salsa.

Cóctel de langosta

Una entrada deliciosa con la compañía de delicadas verduras

100 g de ramitos de coliflor
125 g de judías verdes
1 cucharadita de sal
1 plátano maduro
El zumo de ½ limón
½ cogollo de escarola
280 g de carne de langosta enlatada o congelada y cocida
1 manojo de eneldo
½ manojo de cebollino
½ manojo de perejil
½ cucharadita de mostaza al estragón
1 pizca de pimienta blanca recién molida
6 cucharadas de aceite de pepitas de uva
2-3 cucharadas de vinagre de eneldo
1 pizca de sal y azúcar

Coste medio • Fácil

Por persona aproximadamente 670 kJ/160 kcal · 15 g de proteínas · 5 g de grasas · 13 g de hidratos de carbono

Tiempo de preparación: 1 hora
Tiempo de reposo: 15 minutos

Lave los ramitos de coliflor y déjelos escurrir en un colador. Prepare y lave también las judías y hierva «al dente», por separado, y a fuego lento, de 8 a 10 minutos, cada verdura en agua ligeramente salada. Póngalas luego en un colador y déjelas escurrir. • Pele el plátano, córtelo en rodajas iguales no demasiado gruesas y rocíelas inmediatamente con el zumo de limón. • Corte en tiras las hojas de escarola, lávelas y déjelas secar. Repártalas luego en 4 platos. • Corte en rodajas la langosta. • Distribuya en los platos los ramitos de coliflor, las judías y las rodajas de plátano y de langosta. • Lave rápidamente el eneldo, el cebollino y el perejil, séquelos (reserve un poco de eneldo para guarnición) y córtelos en trocitos muy finos. Bata bien la mostaza al estragón con la pimienta, el aceite y el vinagre y sazone la salsa con sal y azúcar. Échela con una cuchara sobre los ingredientes de la ensalada. • Acompañe con pan de barra fresco o tostadas con mantequilla.

Del aguacate a los huevos de codorniz

Cuando quiera disfrutar usted y agasajar a sus amigos de una manera fuera de lo usual

Aguacate con gambas

A la izquierda de la foto

100 g de queso fresco de hierbas
6 cucharadas de crema de leche
16 gambas grandes o langostinos hervidos
2 aguacates maduros
2 cucharaditas de zumo de limón
1 pizca de sal y pimienta de ajo
Un poco de toronjil o eneldo como guarnición

Rápida

Por persona aproximadamente
1 890 kJ/450 kcal · 20 g de proteínas · 39 g de grasas · 4 g de hidratos de carbono

Tiempo de preparación: 20 minutos

Mezcle el queso fresco con la crema de leche agria y distribuya la mezcla en 4 platos. •

Quite el caparazón de las gambas o langostinos, retire el cordón intestinal y déjelos secar. • Arranque la piel a los aguacates o, si no están lo suficientemente maduros, pélelos con cuidado. Córtelos a lo largo, en dos mitades, y quíteles el hueso. Corte las mitades en lonchas finas y colóquelas decorativamente, junto con las gambas, al lado de la salsa. Rocíe ambos a continuación con el zumo de limón y esparza la sal y la pimienta de ajo. • Lave y seque el toronjil o el eneldo y guarnezca con él la ensalada. • Lleve a la mesa inmediatamente, pues de lo contrario los aguacates tendrán un aspecto oscuro poco agradable.

Nuestra sugerencia: Puede sustituir las gambas por cigalas o incluso carne de cangrejo.

Ensalada de huevos de codorniz

A la derecha de la foto

1 cogollo pequeño de escarola
100 g de tomates cereza pequeños
8 huevos de codorniz hervidos
2 cucharadas de vinagre de Jerez
2 pizcas de sal y pimienta blanca recién molida
5 cucharadas de aceite de oliva
300 g de setas de cardo
1 diente de ajo pequeño

Coste medio

Por persona aproximadamente
800 kJ/190 kcal · 13 g de proteínas · 13 g de grasas · 6 g de hidratos de carbono

Tiempo de preparación: 25 min.

Separe, lave y deje secar las hojas de escarola. Trocéelas y distribúyalas en 4 platos. • Lave

y corte por la mitad los tomates. Parta también por la mitad los huevos de codorniz. • Mezcle el vinagre de Jerez con 1 pizca de sal y otra de pimienta. Bátalo luego a fondo con 4 cucharadas de aceite de oliva. • Prepare las setas, lávelas bajo el chorro del agua corriente, déjelas secar y córtelas en trozos. Pele el diente de ajo. • Caliente en una sartén el resto del aceite y eche en él las setas. Prense sobre ellas el ajo con el prensaajos y fríalas 8 minutos a fuego lento, removiendo. A continuación salpimente ligeramente. • Coloque decorativamente las setas, los tomates y los huevos sobre la ensalada y vierta la salsa por encima. Sirva la ensalada inmediatamente.

Nuestra sugerencia: Puede sustituir las setas de cardo por champiñones cortados en rodajas finas.

Ensaladas saludables

Con frutas, nueces y otros saludables ingredientes

Ensalada de col china con naranjas

A la izquierda de la foto

150 g de col china (½ cogollo pequeño)

50 g de pasas sultanas

1 naranja

50 g de nueces descascaradas

0,5 dl de crema de leche

1 cucharada de aceite de nueces

El zumo de ½ limón

1 cucharada de zumo de manzana

100 g de queso fresco (requesón o ricotta)

½ cucharadita de romero fresco o 1 pizca seco

Receta integral • Fácil

Por persona aproximadamente
1 100 kJ/260 kcal · 7 g de proteínas · 17 g de grasas · 18 g de hidratos de carbono

Tiempo de preparación: 15 minutos

Lave la col, séquela bien y córtela en diagonal en tiras muy finas. • Lave y seque las pasas. Pele la naranja y divídala en gajos (reserve 4 para la guarnición). • Corte las nueces por la mitad (reserve 4 para guarnición). Ponga todos los ingredientes en una fuente. • Bata la crema de leche, el aceite, el zumo de limón y el zumo de manzana y mezcle con los ingredientes antes preparados. Mezcle también la ensalada con el queso picado y el romero, fresco o seco. Adorne la ensalada con los gajos de naranja y las nueces.

Plato de frutas con coco

A la derecha de la foto

1 zanahoria (unos 100 g)

50 g de pasas sultanas

El zumo de ½ limón

100 g de coco fresco

8 dátiles frescos

1 mango

1 aguacate

1 dl de crema de leche

2 cucharaditas de miel líquida

1 pizca de pimienta blanca recién molida

1 ramita de toronjil

Receta integral • Coste medio

Por persona aproximadamente
1 900 kJ/450 kcal · 4 g de proteínas · 29 g de grasas · 42 g de hidratos de carbono

Tiempo de preparación: 20 minutos

Lave, pele y ralle las zanahorias. Lave y seque las pasas. Mézclas en una fuente con la zanahoria rallada y ½ cucharada de zumo de limón. • Corte en lonchas muy finas el coco. • Lave los dátiles, séquelos, córtelos por la mitad a lo largo, deshuéselos y retire los tallos. • Pele el mango, quite el corazón y corte la fruta en dados. • Pele finamente el aguacate, córtelo por la mitad, quítele el hueso y corte la fruta en lonchas finas. • Coloque, alternándolos, los ingredientes antes preparados en 4 platos. Rocíe las lonchas de aguacate con ½ cucharada de zumo de limón. • Bata la crema de leche hasta que espese y mézclela con la miel, el resto del zumo de limón y un poco de pimienta. • Vierta la crema aliñada, formando un montoncito, en el centro de los platos y sazone al gusto con pimienta. Adorne los platos con hojitas de toronjil.

Ensaladas con un toque ahumado

También aquí hortalizas y verduras siguen siendo el elemento principal

Ensalada de rábano con jamón

A la izquierda de la foto

2 rábanos blancos
3 cucharadas de vinagre de vino tinto
½ cucharaditas de pimienta negra recién molida
1 cucharadita de sal
1 cucharada de aceite de nueces
150 g de jamón ahumado
1 manojo de cebollino

Fácil • Rápida

Por persona aproximadamente 880 kJ/190 kcal · 8 g de proteínas · 15 g de grasas · 5 g de hidratos de carbono

Tiempo de preparación: 20 minutos

Pele y lave los rábanos y luego córtelos, primero en rodajas y luego en juliana fina. • Mezcle el vinagre con la pimienta recién molida y la sal, bata el aceite con la salsa y aliñe con ello la ensalada. • Corte el jamón en tiras finas, quitando antes, si fuese necesario, los bordes de grasa. Lave los cebollinos, séquelos y píquelos finamente. • Mezcle las tiras de jamón y los rollitos de cebollino con la ensalada y sírvala inmediatamente. • Puede acompañarla con pan moreno fresco y mantequilla.

Nuestra sugerencia: Esta ensalada debe prepararse inmediatamente antes de ser servida, porque el rábano suelta agua rápidamente. Son muy apetitosas las zanahorias ralladas mezcladas con los rábanos, pues rebajan la acidez de éstos, sin que por ello pierda la ensalada su gusto picante.

Ensalada mixta con trucha ahumada

A la derecha de la foto

2 endibias
100 g de hierba de los canónigos
1 manojo de rabanitos
2 zanahorias cocidas
1 pimiento rojo
4 filetes de trucha ahumados
1 ramillete de hierbas mixtas, perifollo, albahaca y cebollino
1 manojo de berros
3 cucharadas de vinagre de hierbas
½ cucharadita de sal
½ cucharadita de mostaza fuerte
3 cucharadas de aceite de semillas · 2 huevos duros

Coste medio • Fácil

Por persona aproximadamente 1 590 kJ/380 kcal · 30 g de proteínas · 24 g de grasas · 11 g de hidratos de carbono

Tiempo de preparación: 30 min.

Quite la base amarga de los cogollos de endibia y extráigala con un cuchillo puntiagudo, cortando unos 2 cm. Corte los cogollos en tiras, lávelas bajo el chorro de agua fría y déjelas secar. • Prepare la hierba de los canónigos, lávela a fondo y escúrrala o déjela secar. • Lave los rabanitos, séquelos y córtelos en rodajitas; haga lo mismo con las zanahorias. • Corte por la mitad el pimiento, quite el tallo, las membranas y las semillas; luego lave, seque y corte en dados las dos mitades. • Corte en trocitos pequeños los filetes de trucha. • Lave bajo el chorro del agua fría las hierbas, séquelas y córtelas finamente. • Mezcle el vinagre con la sal y la pimienta, añada el aceite y mezcle las hierbas. • Mezcle suavemente con la salsa de hierbas todos los ingredientes de la ensalada. • Pele los huevos, píquelos finamente y espárzalos sobre la ensalada.

Ensalada de espárragos con salsa bearnesa

Una salsa clásica que armoniza singularmente con ingredientes finos

1 cucharada de vinagre de vino blanco · 2 escalonas

¼ de vino blanco seco

500 g de espárragos verdes y blancos

1 cucharadita de sal

1 pizca de azúcar

1 cucharada de zumo de limón

250 g de tomates fuertes pero maduros

½ pollo asado

½ manojo de eneldo

3 yemas de huevo

150 g de mantequilla

1 pizca de sal y pimienta de Cayena

Coste medio

Por persona 3 190 kJ/760 kcal · 36 g de proteínas · 56 g de grasas · 16 g de hidratos de carbono

Tiempo de preparación: 45 min.

Pele las escalonias, píquelas finamente, póngalas a hervir con el vinagre y el vino blanco hasta que el líquido se reduzca aproximadamente a la mitad; luego deje enfriar. • Pele los espárragos blancos de arriba abajo y retire los extremos leñosos. Ate los tallos con un bramante. Ponga en una cacerola el agua necesaria para cubrir los espárragos y hiérvalos junto con la sal, el azúcar y el zumo de limón de 15 a 20 minutos. • Pele los tomates, córtelos por la mitad y quite los tallos y los corazones. Corte los tomates en dados. Pele y deshuese el pollo y corte la carne en dados. • Lave el eneldo, séquelo y córtelo en trozos pequeños. • Corte el tercio superior de los tallos de los espárragos y luego corte éstos por la mitad (utilice los dos tercios inferiores, junto con el agua hervida, para hacer una sopa). • Mezcle suavemente los dados de tomate con los trozos de espárrago, la carne de pollo y el eneldo. • Bata con la batidora de varillas las yemas de huevo con la mezcla de escalonias. Derrita la mantequilla y viértala en forma de hilillo fino sobre la mezcla a temperatura ambiente. Aliñe la salsa con la sal y la pimienta de Cayena y viértala sobre la ensalada.

Ensalada de espárragos

Una sugerencia para entradas en época de espárragos

1 pechuga de pollo de 250-300 g

4 granos de pimienta

1 hoja pequeña de laurel

500 g de espárragos de grosor medio

1 cucharadita de sal

1 cucharadita de mantequilla

2 tomates pequeños

4 rodajas de piña natural de 1 cm de grosor (unos 400 g)

3 cucharadas de mayonesa (50 % de materia grasa)

3 cucharadas de crema de leche agria · 1 pizca de azúcar

1 cucharada de zumo de limón

1 pizca de sal, pimienta blanca recién molida, azúcar y salsa Worcester · 1 manojo de berros

4 hojas de lechuga arrepollada

Elaborada

Por persona 750 kJ/180 kcal · 5 g de proteínas · 8 g de grasas · 22 g de hidratos de carbono

Tiempo de preparación: 1 hora
Tiempo de reposo: 30 minutos

Lave la pechuga de pollo. Ponga a hervir ¾ l de agua, ½ cucharadita de sal, los granos de pimienta y la hoja de laurel; deje cocer la carne 20 min. Saque luego la pechuga y déjela enfriar. • Pele mientras tanto los espárragos, lávelos y córtelos en trozos de unos 5 cm de longitud. Ponga a hervir ½ l de agua con ½ cucharadita de sal, el azúcar y la mantequilla. Cueza en ella 15-20 min. los trozos de espárrago y escúrralos. • Escalde los tomates, pélelos, trocéelos, quíteles el corazón y córtelos en tiras. • Pele las rodajas de piña y córtelas en trozos pequeños. • Quite los huesos de la pechuga de pollo y corte la carne en dados. • Bata la mayonesa con la crema de leche agria, el zumo de limón, la sal, la pimienta, el azúcar y la salsa Worcester. • Vierta la salsa sobre los ingredientes de la ensalada, mezcle y deje reposar 30 min. • Lave las hojas de lechuga y los berros. Reparta las hojas en 4 platos. Coloque sobre ellas la ensalada y adorne con los berros.

Ensaladas de huevos

Los huevos deben tener, como máximo, una semana

Espárragos y huevos con salsa de atún

A la izquierda de la foto

4 huevos
24 tallos de espárragos
1 cucharadita de sal
1 terrón de azúcar
150 g de atún enlatado
2 filetes de anchoa
1 yogur
1 cucharada de zumo de limón
1 cucharada de alcaparras
1 manojo de albahaca fresca
1 pizca de pimienta blanca recién molida
4-8 hojas de lechuga arrepollada

Rápida • Fácil

Por persona aproximadamente
1 300 kJ/310 kcal · 27 g de proteínas · 20 g de grasas · 7 g de hidratos de carbono

Tiempo de preparación: 25 minutos

Pinche con una aguja el extremo redondeado de los huevos, cuézalos 8 minutos, enfríelos rápidamente y quíteles la cáscara. • Pele finamente los espárragos y quíteles los extremos duros. Ponga a hervir ¼ l de agua con la sal y el azúcar y cueza en ella durante 15 minutos los espárragos, sáquelos del agua, escúrralos y déjelos enfriar. • Deje escurrir el atún y échelo en la batidora junto con los filetes de anchoa para que quede hecho puré o muy finamente picado. • Mezcle aparte el yogur, el zumo de limón y las alcaparras. Lave bajo el chorro del agua la albahaca y séquela. Reserve para la guarnición 4 ramitas de albahaca. Arranque de los tallos las hojas restantes, píquelas, mézclelas con la salsa y sazone ésta con la pimienta. • Lave las hojas de lechuga, séquelas y distribúyalas en 4 platos. • Corte los huevos en 2 ó 4 trozos y dispóngalos en los platos, junto con los tallos de espárrago y la salsa. •

Acompañe este plato con pan blanco recién cocido.

Ensalada de huevos y champiñones

A la derecha de la foto

5 cucharadas de crema de leche
2 cucharadas de aceite de girasol
½ cucharadita de raiforte rallado
½ cucharadita de mostaza semifuerte
1 manojo de cebollino
½ manojo de perejil
1 pizca de sal, pimienta blanca recién molida, azúcar y nuez moscada rallada
4 huevos duros
200 g de champiñones

Económica • Rápida

Por persona aproximadamente
1 210 kJ/290 kcal · 15 g de proteínas · 24 g de grasas · 4 g de hidratos de carbono

Tiempo de preparación: 15 minutos

Bata la crema de leche, el aceite, el zumo de limón, el raiforte y la mostaza hasta obtener una salsa cremosa. • Lave y seque el cebollino y el perejil. Pique finamente el perejil y bátalo con la crema. Aliñe la salsa con la sal, la pimienta, el azúcar y la nuez moscada. • Pele los huevos y córtelos en rodajas. • Prepare y lave los champiñones y córtelos en rodajas finas. • Coloque en 4 platos y en forma de círculo los huevos y las rodajas de champiñón y rocíelos con la salsa. • Corte finamente el cebollino y distribúyalo sobre la ensalada. • Acompañe con pan tostado o de barra.

Entradas a base de carnes y mariscos

Ambiciosas maneras de iniciar un menú festivo

Ensalada de cangrejos y hierba de los canónigos

A la izquierda de la foto

150 g de hierba de los canónigos
½ melón Cantalupo
1 calabacín pequeño
3 cucharadas de vinagre
2 pizcas de sal y pimienta blanca recién molida · 2 dientes de ajo
½ cucharadita de mostaza de Dijon · 1 limón
½ cucharadita de alcaparras finamente picadas
2 cucharaditas de hierbas recién picadas, como perejil, albahaca, pimpinela o borraja
4 cucharadas de aceite de oliva
8 colas de cangrejo de río o langostinos · 1 cucharadita de sal
1 cucharada de mantequilla
2 cucharadas de perejil recién picado
4 ramitas de toronjil

Coste medio

Por persona 880 kJ/210 kcal · 19 g de proteínas · 19 g de grasas · 10 g de hidratos de carbono

Tiempo de preparación: 45 min.

Prepare y lave la hierba de los canónigos y déjela secar. • Corte por la mitad el melón, quite las pepitas y extraiga bolas. Lave el calabacín, quite las puntas y córtelo en rodajas finas. • Bata el vinagre, 1 pizca de sal y otra de pimienta, la mostaza, las alcaparras, las hierbas y el aceite. • Corte el limón en rodajas y hiérvalo en agua salada 8 min. junto con las colas de cangrejo. Saque las colas, déjelas secar y quíteles el caparazón. • Pele los ajos y píquelos. Caliente la mantequilla en una sartén grande y fría en ella el perejil, el ajo y las colas de cangrejo 2 ó 3 min. Salpimente ligeramente. • Mezcle la lechuga, las bolas de melón y las rodajas de calabacín con la salsa y distribúyalo en 4 platos. Ponga en cada uno de estos 2 colas de cangrejo con el toronjil.

Ensalada Fígaro

A la derecha de la foto

2 remolachas medianas hervidas
100 g de trucha ahumada
1 lechuga arrepollada pequeña
2 cucharadas de mayonesa (50 % de materia grasa)
4 filetes de anchoa finamente picados · 2 tallos de apio
1 cucharada de vinagre de vino tinto · 2 cucharadas de ketchup
1 pizca generosa de sal, pimienta blanca recién molida y azúcar

Fácil • Rápida

Por persona 670 kJ/160 kcal · 9 g de proteínas · 9 g de grasas · 12 g de hidratos de carbono

Tiempo de preparación: 30 min.

Lave las remolachas; pélelas y córtelas en tiras del grosor de una cerilla. • Lave también el apio, quite los extremos de los tallos, los entronques de las hojas y los hilos duros. Corte a continuación el apio en rodajas de ½ cm de grosor. • Corte también la trucha en tiras finas. • Quite las hojas exteriores de la lechuga, lave a fondo con agua el cogollo, séquelo y córtelo en tiras finas. Mezcle los ingredientes de la ensalada. • Mezcle la mayonesa con las anchoas, el ketchup, el vinagre, la sal, la pimienta y el azúcar. Si fuese necesario añada un poco de agua o de leche para que el conjunto resulte más fluido y adquiera un sabor agridulce. Mezcle suavemente la vinagreta con los ingredientes de la ensalada antes preparados.

Ensalada de arenques con pepino

El pepino y los rabanitos proporcionan a las ensaladas un toque muy refrescante

4 filetes de arenque

4 cucharadas de crema de leche

4 cucharadas de yogur cremoso

1 cucharada de zumo de limón

½ cebolla pequeña

1 manojo de eneldo, perejil y cebollino

1 pizca de sal, pimienta negra recién molida y azúcar

½ pepino

1 manojo de rabanitos

4 hojas de lechuga arrepollada

4 gajos de limón

Fácil • Económica

Por persona aproximadamente 1 390 kJ/330 kcal · 18 g de proteínas · 27 g de grasas · 7 g de hidratos de carbono

Tiempo de preparación: 20 minutos

Lave un tiempo más o menos largo los filetes de arenque según sea su contenido en sal y manténgalos fríos. • Bata la crema hasta que espese y mézclela con el yogur y el zumo de limón. • Pele la cebolla, májela, o rállela y bátala con el yogur. • Lave el eneldo, el perejil y el cebollino y déjelos secar. Reserve algunas hierbas para la guarnición y pique o corte las restantes. Mezcle las hierbas con la salsa y sazone ésta con la sal, la pimienta y el azúcar. • Pele el pepino, pártalo por la mitad a lo largo, quite con una cuchara las pepitas y córtelo en rodajas finas. • Prepare y lave los rabanitos y córtelos también en rodajas. • Lave las hojas de lechuga, déjelas secar y póngalas en 4 platos. • Escurra los filetes de arenque y divídalos en trozos pequeños. • Ponga en los platos dos tercios de la salsa de hierbas y coloque sobre ella y por capas los trozos de arenque y las rodajas de pepino y rabanito. Distribuya por encima el resto de la salsa. • Adorne la ensalada con los gajos de limón y las hierbas restantes. Va bien, como acompañamiento, pan de trigo integral con mantequilla.

Ensalada de pepino con gambas

Una combinación refrescante y «ligera»

2 huevos
1 pepino
1 cucharadita de sal
2 cucharadas de vinagre de vino blanco
1 cucharada de salsa de soja
½ cucharadita de azúcar
3 cucharadas de aceite de girasol
200 g de gambas hervidas
1 manojo de eneldo

Fácil • Coste medio

Por persona aproximadamente 710 kJ/170 kcal · 15 g de proteínas · 11 g de grasas · 2 g de hidratos de carbono

Tiempo de preparación: 30 minutos

Pinche con una aguja el extremo redondeado de los huevos y cuézalos durante 8 minutos. Enfríelos luego, bruscamente, pélelos y deje que se enfríen. • Frote bien con un lienzo el pepino, lávelo con agua templada, séquelo y córtelo por la mitad a lo largo. Quite con una cucharita las pepitas del pepino y corte luego las dos mitades en dados de aproximadamente ½ cm. • Remueva la sal con el vinagre, la salsa de soja y el azúcar, hasta que el azúcar y la sal se hayan disuelto completamente. Bata con la batidora de varillas, el aceite de girasol con la preparación anterior y mezcle con las gambas y los dados del pepino. • Lave el eneldo, séquelo, quite los tallos duros y corte finamente las hojitas tiernas. • Ponga la ensalada en una fuente y esparza el eneldo por encima. • Corte los huevos en octavos a lo largo y decore con ellos la ensalada. • Aquí resulta agradable el sabor de los panecillos integrales recién cocidos y el de los bollos.

Ensalada de lechuga hoja de roble con salmón

Ambiciosa y a la vez de rápida preparación

1 cogollo pequeño de lechuga hoja de roble
300 g de champiñones pequeños
2 cucharadas de zumo de limón
2 escalonias
2-3 cucharadas de vinagre balsámico
1 pizca de sal y pimienta negra recién molida
½ cucharadita de estragón seco
4 cucharadas de aceite de oliva
200 g de salmón ahumado
1 cucharada de perejil picado

Coste medio • Fácil

Por persona aproximadamente 2 670 kJ/480 kcal · 14 g de proteínas · 9 g de grasas · 6 g de hidratos de carbono

Tiempo de preparación: 45 minutos

Prepare la lechuga, lave las hojas, escúrralas y déjelas secar. Corte en dos o en cuatro las hojas grandes. • Prepare los champiñones, lávelos bajo el chorro del agua, córtelos en rodajas finas y rocíelas con el zumo de limón, para que no se pongan negras. • Pele las escalonias y córtelas en dados pequeños. • Bata el vinagre balsámico, la sal, la pimienta, el estragón, los dados de escalonia y el aceite de oliva. Macere las hojas de lechuga con la vinagreta y póngalas en 4 bandejitas para aperitivos. Macere luego los champiñones en la salsa de la ensalada y póngalos también en las bandejitas. • Divida finalmente el salmón en 8 lonchas de igual tamaño y colóquelas de 2 en 2 junto a los champiñones y las hojas de la lechuga. Esparza por encima el perejil y sirva la ensalada acompañada de rebanadas de pan blanco y mantequilla salada.

Variaciones de ensaladas a base de quesos

Son muchas las clases de quesos que se adaptan bien a las ensaladas finas

Ensalada de coliflor con queso

A la izquierda de la foto

| 500 g de ramitos de coliflor |
| 250 g de calabacines |
| 150 g de queso mozarella y otro queso mantecoso |
| 0,7 dl de crema de leche |
| 1 cucharada de aceite de nueces |
| 1 cucharada de jarabe de arce o de miel |
| 2 cucharadas de zumo de limón |
| 1 cucharadita de granos de pimienta rosa |
| 1 cucharada de almendras descascaradas |
| 1 ramita de toronjil |

Receta integral • Fácil

Por persona 1 390 kJ/330 kcal · 22 g de proteínas · 21 g de grasas · 11 g de hidratos de carbono

Tiempo de preparación: 25 min.

Lave los ramitos de la coliflor, corte por la mitad los grandes y deje enteros los pequeños. Hierva «al dente» la verdura en poca agua o al vapor durante 10 minutos, escúrrala y déjela enfriar un poco. • Lave los calabacines, quíteles los tallos y los extremos y córtelos en dados. • Corte el queso en dados. • Bata la crema de leche con el aceite, el jarabe de arce y el zumo de limón. Maje los granos de pimienta y mézclelos con la salsa. • Ponga en una fuente los ramitos de coliflor escurridos y los dados de calabacín y queso. Vierta por encima la salsa y mézclelo todo a fondo. Ralle las almendras y espolvoréelas sobre la ensalada. Ponga ésta en platos y guarnezca con las hojitas de toronjil.

Nuestra sugerencia: Si desea una ensalada algo más salada, emplee sal marina, pero añádala al final.

Ensalada de queso con nueces

A la derecha de la foto

| 250 g de yogur |
| 4 cucharadas de zumo de limón |
| 1 cucharada de raiforte |
| 2 cucharadas de azúcar |
| 1 pizca de sal |
| 1,2 dl de crema de leche |
| 50 g de nueces descascaradas |
| 50 g de avellanas descascaradas |
| 125 g de queso camembert no demasiado blando |
| 125 g de queso gouda fresco |
| 1 apio |
| 1 manzana roja grande |
| ½ cogollo de escarola común o de Batavia |

Fácil • Rápida

Por persona 2 690 kJ/640 kcal · 22 g de proteínas · 53 g de grasas · 19 g de hidratos de C.

Tiempo de preparación: 30 min.

Bata el yogur con el zumo de limón, el raiforte, el azúcar y la sal. Bata la crema de leche hasta que espese y mézclela a continuación con el yogur. • Reserve unas nueces para guarnición y pique en trozos algo grandes las restantes. Pique algo más finamente las avellanas. Mezcle avellanas y nueces con la salsa. • Corte el camembert en tiritas. Quite la corteza al gouda y córtelo también en tiritas. • Lave los tallos interiores y tiernos del apio y córtelos transversalmente en rodajas finas (utilice los tallos exteriores para hacer sopa de verduras). • Lave la manzana, trocéela y quítele el corazón. Corte cada trozo, primero en rodajas y luego en tiritas. • Mezcle el queso, el apio y la manzana con la salsa. • Lave a fondo y seque la escarola. Corte las hojas en trozos pequeños y distribúyalos en 4 platos. • Aliñe a continuación la ensalada de queso y adórnela con las mitades de nueces reservadas.

Ensalada de mango y tofu

El tofu es un derivado de la soja muy rico en proteínas que se encuentra en establecimientos especializados en productos orientales

2 cucharadas de granos de sésamo con cáscara

1 cogollo pequeño de lechuga hoja de roble

1 mango maduro grande (unos 400 g)

2 cucharadas de salsa de soja

2 pizas de pimienta negra recién molida

3 cucharadas de aceite de sésamo · 400 g de tofu

2 cucharadas de zumo de limón

1,2 dl de crema de leche espesa

1-2 cucharaditas de jengibre recién rallado

2 cucharaditas de miel líquida

1 cucharada de cebollino picado

Receta integral

Por persona 1 510 kJ/360 kcal · 11 g de proteínas · 25 g de grasas · 25 g de hidratos de carbono

Tiempo de preparación: 40 min.

Corte el tofu en dados, póngalos sobre un lienzo de cocina, tápelos y manténgalos fuertemente presionados bajo una tabla con pesos encima 15 min. • Mientras tanto, tueste los granos de sésamo en una sartén, a fuego lento, removiendo sin cesar. • Lave las hojas de la lechuga y séquelas. • Pele el mango y corte el fruto en lonchas finas a partir del hueso. • Rocíe con 1 cucharada de aceite de soja los dados de tofu prensados y esparza encima una pizca de pimienta. • Caliente en una sartén 1 cucharada de aceite de sésamo y fría unos 5 minutos los dados de tofu por el lado aliñado. Rocíe el otro lado con 1 cucharada de salsa de soja y sazone con 1 pizca de pimienta. Dé vuelta a los lados y fríalos otros 5 minutos. • Mezcle las hojas de lechuga con 1 cucharada de aceite y otra de zumo de limón y póngalas en una fuente. • Prepare una salsa con la crema de leche, 1 cucharada de aceite y otra de zumo de limón, el jengibre, la miel y el cebollino y viértala sobre la ensalada. Ponga sobre ella el mango y distribuya por encima la mitad del sésamo. Corte en dados el tofu, póngalo en los platos y espolvoréelo con el sésamo restante.

Ensalada de lechuga hoja de roble con picatostes de queso

Una entrada fresca y crujiente

Ensalada de trigo sarraceno

Saborear los cereales en forma de ensalada

1 lechuga hoja de roble	
1 panecillo de la vigilia	
2 dientes de ajo	
5 cucharadas de aceite de oliva virgen	
2 cucharadas de queso pecorino o parmesano recién rallado	
2 cucharadas de vinagre de hierbas	
1 cucharadita de sal	
1 pizca de pimienta negra recién molida	

Económica • Rápida

Por persona 630 kJ/150 kcal · 7 g de proteínas · 7 g de grasas · 14 g de hidratos de carbono

Tiempo de preparación: 20 min.

Prepare la lechuga, corte las hojas en tiras anchas, póngalas en un colador bajo el chorro del agua fría y déjelas escurrir. • Corte el panecillo en rebanadas de 1 cm de grosor y luego éstas en dados. • Pele los dientes de ajo y aplástelos con el prensaajos sobre el aceite de oliva. • Caliente en una sartén pequeña 1 cucharada de aceite de oliva y fría los dados de pan hasta dorarlos. Incorpore el queso rallado y siga friendo los dados de pan mientras remueve, hasta que el queso se derrita. Mezcle el vinagre con la sal y la pimienta, añada 4 cucharadas de aceite de oliva y sazone la ensalada con la salsa. • Sirva la ensalada con los picatostes de queso distribuidos por encima.

Nuestra sugerencia: Si no dispone de la lechuga hoja de roble puede utilizar, por supuesto, otro tipo de hojas, por ejemplo, hierba de los canónigos, escarola o lechuga arrepollada. Si posee un huerto o un jardín, sería deseable que cultivara algunas especies para poder disponer de verduras frescas tanto en primavera como en verano y otoño.

1 l de agua	
½ cucharadita de sal	
½ de tomillo	
1 hoja de laurel pequeña	
2 cucharadas de aceite de girasol	
100 g de trigo sarraceno	
3 tomates · 3 escalonias	
25 g de filetes de anchoa	
1,5 dl de crema de leche agria	
1 cucharada de zumo de limón	
1 pizca de pimienta negra recién molida	
2 cucharadas de cebollino picado	

Receta integral • Económica

Por persona 1 210 kJ/290 kcal · 7 g de proteínas · 17 g de grasas · 27 g de hidratos de carbono

Tiempo de preparación: 40 min.

Hierva el agua con la sal, el tomillo, la hoja de laurel y 1 cucharada de aceite; vierta en ella los granos de trigo sarraceno y cuézalos en una cacerola destapada durante 15 minutos. Retírela del fuego y deje remojar el trigo otros 15 minutos. Déjelo escurrir en un colador, enfríelo un poco y quite luego la hoja de laurel. • Escalde mientras tanto los tomates, refrésquelos, pélelos y córtelos en rodajas finas. • Pele las escalonias, corte dos de ellas en anillos finos y pique la tercera. • Pique finamente una tercera parte de los filetes de anchoa y corte por la mitad a lo largo el resto. • Bata la crema de leche agria, 1 cucharada de aceite, el zumo de limón, la pimienta, los ingredientes finamente picados y la mitad del cebollino para obtener una salsa; mezcle dos tercios de la misma con los granos de trigo sarraceno. • Coloque la ensalada de trigo en el centro de un círculo de rodajas de tomate y anillos de cebolla, distribuya por encima los filetes de anchoa, vierta en el centro la salsa restante y espolvoree con el resto de cebollino.

Ensalada de espinacas: sanas y crujientes

Dos ensaladas que también tienen buen resultado como entradas

Ensalada de espinacas con queso de oveja

A la izquierda de la foto

250 g de espinacas
150 g de queso de oveja cremoso
2 cucharadas de aceite de oliva
2 cucharadas de crema de leche
2 cucharadas de zumo de limón
100 g de almendras descascaradas
10 aceitunas negras
2 escalonias
1 pizca de pimienta negra recién molida

Receta integral • Rápida

Por persona aproximadamente 1 600 kJ/380 kcal · 12 g de proteínas · 32 g de grasas · 12 g de hidratos de carbono

Tiempo de preparación: 25 min.

Lave las espinacas, quite las hojas estropeadas y los tallos, déjelas escurrir bien o secar y córtelas a continuación en pequeños trozos. • Aplaste con un tenedor la mitad del queso y mézclelo con el aceite, la crema de leche y el zumo de limón. • Tueste las almendras en una sartén de fondo grueso, seca, de hierro colado, hasta que tomen algo de color y exhalen un aroma agradable. • Deshuese las aceitunas y píquelas finamente. Pele las escalonias y córtelas en anillos finos. Corte en lonchas finas el queso restante. • Mezcle los ingredientes antes preparados con las espinacas y aliñe con la pimienta. Añada la salsa de la ensalada.

Nuestra sugerencia: En lugar de las almendras puede emplear también piñones o semillas de girasol tostadas.

Ensalada de espinacas con huevos

A la derecha de la foto

125 g de espinacas
125 g de dientes de león
1 manojo de berros
100 g de queso crema
200 g de yogur
1 cucharada de aceite de girasol
1 cucharada de zumo de limón
1 cucharadita de sal
2 cucharaditas de mostaza semifuerte · 2 escalonias
1 pizca de pimienta negra recién molida · 3 huevos duros

Receta integral • Económica

Por persona 1 210 kJ/290 kcal · 18 g de proteínas · 21 g de grasas · 8 g de hidratos de carbono

Tiempo de preparación: 20 min.

Lave las espinacas y el diente de león y quite las hojas estropeadas. Quite también las bases de las espinacas, déjelas escurrir bien o séquelas y trocee las hojas. • Quite las bases de los berros, lávelos y déjelos secar. • Aplaste el queso fresco con un tenedor y mézclelo poco a poco con el yogur, hasta formar una salsa cremosa. Mezcle el aceite, el zumo de limón, la sal, la mostaza y la pimienta con esta salsa. • Pele las escalonias, córtelas en anillos finos y mézclelos con los restantes ingredientes. Reparta la ensalada en 4 platos. • Pele los huevos, píquelos en trozos grandes y distribúyalos sobre la ensalada. Añada luego la salsa.

Nuestra sugerencia: En el caso de que quiera preparar esta ensalada con diente de león silvestre cultivado en su propio jardín, debe utilizar sólo hojas muy tiernas, para que la ensalada no resulte excesivamente amarga.

El hinojo y el pepino protagonistas

Mucha verdura y un poco de carne

Cóctel de pepino

A la izquierda de la foto

2 endibias pequeñas

1 pepino pequeño (de unos 350 g) · 1 naranja sin pepitas

2 peras maduras

2 cucharadas de zumo de limón

½ cucharadita de sal marina

1 pizca de pimienta blanca recién molida

1,2 dl de crema de leche espesa

1 cucharada de aceite de nueces

1 cucharada de jarabe de arce o miel

½ cucharadita de mostaza semifuerte

50 g de nueces descascaradas

150 g de gambas hervidas y peladas · 1 ramita de eneldo

Receta integral

Por persona 1 800 kJ/430 kcal · 12 g de proteínas · 31 g de grasas · 21 g de hidratos de carbono

Tiempo de preparación: 20 min.

Corte la base amarga de las endibias y extraiga con un cuchillo puntiagudo la cuña del extremo amarga, cortando a unos 2 cm de profundidad. Arranque una por una las hojas, lávelas y déjelas secar. • Pele el pepino y córtelo en dados grandes. • Pele la naranja, quítele también la membrana blanca, divida la naranja en gajos y éstos a su vez en trozos pequeños. • Lave las peras, séquelas, trocéelas, quíteles el corazón y divida los trozos en dados. • Bata la crema de leche ligeramente y mézclela con el aceite de nueces, el jarabe de arce y la mostaza. • Mezcle en un cuenco el pepino, la naranja y los dados de pera con las nueces, las gambas y las hojas de eneldo con la salsa. Ponga las hojas de endibia en 4 copas de cóctel, llénelas con la ensalada y adorne con la ramita de eneldo.

Ensalada de hinojo con pavo

A la derecha de la foto

1,5 dl de crema de leche

2 *petit-suisse*

1 yema de huevo

1 cucharada de queso parmesano rallado

2 cucharadas de zumo de limón

1 pizca de sal, azúcar, pimienta blanca recién molida y canela

1 naranja

2 cebollas tiernas

200 g de pechuga de pavo en lonchas

2 bulbos de hinojo

Coste medio • Fácil

Por persona aproximadamente 2 100 kJ/500 kcal · 21 g de proteínas · 34 g de grasas · 28 g de hidratos de carbono

Tiempo de preparación: 30 minutos

Tiempo de reposo: 15 minutos

Mezcle la crema de leche con el *petit-suisse*, la yema de huevo, el queso parmesano y el zumo de limón. Aliñe la salsa con la sal, el azúcar, la pimienta y la canela. • Pele la naranja. Corte los gajos retirando las membranas y recoja el zumo para la salsa. • Lave la manzana, cuartéela y quite el corazón. Corte los cuartos en rodajas y mézclelas inmediatamente con la salsa. • Utilice sólo la parte blanca y verde brillante de las cebollas tiernas, lávelas y córtelas en anillos finos. • Deshuese los dátiles. • Corte en tiras las lonchas de pechuga de pavo. • Ponga aparte las hojas de hinojo, lave el resto y córtelo en finas tiras. • Mezcle el hinojo, las cebollas, los dátiles y las tiras de pechuga de pavo con la salsa. • Deje macerar la ensalada durante 15 minutos y rocíela luego con las hojas de hinojo finamente picadas.

41

Ensaladas de hortalizas crudas para abrir el apetito

A base de hortalizas, siempre a su alcance

Ensalada de calabacines con aceitunas

A la izquierda de la foto

600 g de calabacines pequeños
Unos cubitos de hielo
1 tomate
1 cebolla blanca
3 cucharadas de zumo de limón
1 pizca de sal y pimienta blanca recién molida
5 cucharadas de aceite de oliva
3 ramitas de menta
5-6 ramitas de romero
12 aceitunas negras
50 g de queso mozzarella

Fácil • Económica

Por persona 760 kJ/180 kcal · 7 g de proteínas · 10 g de grasas · 15 g de hidratos de carbono

Tiempo de refrigeración: 3 horas
Tiempo de preparación: 25 min.

Lave los calabacines y corte los extremos. Póngalos en un plato con agua y los cubitos de hielo y déjelos reposar en el frigorífico unas 3 horas. • Retire el pedúnculo del tomate, lávelo, pélelo, séquelo y divídalo en 8 partes. • Pele la cebolla, córtela por la mitad y luego en rodajas finas. • Prepare una salsa vinagreta con el zumo de limón, la sal, la pimienta y el aceite de oliva y remuévala enérgicamente con una batidora de varillas. • Lave la menta y arranque las hojas una por una. Reserve algunas para la guarnición, corte las restantes en finas tiras y mézclelas con la vinagreta, junto con las ramitas de romero picadas. • Corte los calabacines fríos y secos en rodajas finas; póngalas, junto con los trozos de tomate, la cebolla y las aceitunas negras en un cuenco y mezcle con la salsa. • Corte en dados el queso mozzarella y distribúyalos por encima. Adorne con las hojitas de menta.

Ensalada de apio y lechuga

A la derecha de la foto

500 g de tallos de apio
½ lechuga
3 cucharadas de vinagre de vino
1 pizca de sal y pimienta negra recién molida
1 cucharadita de mostaza semifuerte
4 cucharadas de aceite de oliva
2 cucharadas de mayonesa (50 % de materia grasa)
100 g de jamón dulce
1 manzana ácida
100 g de setas en aceite

Fácil • Económica

Por persona aproximadamente 880 kJ/210 kcal · 8 g de proteínas · 12 g de grasas · 17 g de hidratos de carbono

Tiempo de preparación: 30 minutos

Corte por el extremo de la raíz los tallos de apio para que éstos se separen. Arranque una por una las hojas tiernas del apio, lávelas y córtelas en tiras finas. Lave los tallos de apio, séquelos y córtelos en trozos de ½ cm de grosor. • Tire las hojas verdes externas de la lechuga, arranque las tiernas y lávelas a fondo con agua. Seque luego las hojas y córtelas en tiras finas. • Bata el vinagre con la sal, la pimienta, la mostaza y el aceite de oliva y mezcle la salsa con la mayonesa. • Corte el jamón en dados pequeños. Pele la manzana, trocéela, quítele el corazón y divida cada parte en dados pequeños. • Ponga en una fuente los trozos de apio, las tiras de lechuga, las setas escurridas, el jamón y los dados de manzana; vierta por encima la salsa, mézclelo todo bien y esparza las hojas de apio. • Sirva la ensalada bien fría.

Ensaladas de frutas

Para quienes gusten de los sabores afrutados y picantes

Ensalada de naranjas y apio

A la izquierda de la foto

2 manzanas ácidas

2 cucharadas de zumo de limón

¼ de apio nabo · 3 naranjas

1 yema de huevo

½ cucharadita de mostaza de Dijon

4 cucharadas de aceite de cártamo

2 pizcas de sal y pimienta blanca recién molida

4 ramitas de menta

Fácil • Económica

Por persona 1 010 kJ/240 kcal · 7 g de proteínas · 13 g de grasas · 25 g de hidratos de carbono

Tiempo de preparación: 30 min.

Pele las naranjas y las manzanas y quíteles la piel, incluida la membrana blanca de las prime-ras. Separe los gajos de las naranjas y córtelos en trozos finos. • Lave a fondo las manzanas, séquelas frotando, córtelas por la mitad y quite el corazón. Corte las mitades en tiras finas y rocíelas a continuación con 1 cucharada de zumo de limón. Pele apio nabo, rállelo y alíñelo con 1 cucharada de zumo de limón. Mezcle la yema con la mostaza. Añada el aceite de cártamo, primero gota a gota, y luego en forma de hilillo fino, con la batidora de varillas. Aliñe la salsa con la sal y la pimienta. • Mezcle suavemente en un cuenco la naranja, los trozos de manzana y el apio rallado; vierta por encima la salsa y mezcle con cuidado la ensalada. • Lave las ramitas de menta y arranque las hojitas; guarde algunas enteras y corte las restantes en trocitos. Mézclelos con la ensalada. Coloque ésta en 4 platos, decórelos con las hojitas de menta y sírvala bien fría.

Ensalada Caruso

A la derecha de la foto

4 rodajas de piña natural de 1 cm de grosor

2 tomates medianos maduros

8 hojas de lechuga arrepollada

6 cucharadas de crema de leche agria

1-2 cucharaditas de zumo de limón

1 cucharadita de miel líquida

1 pizca de sal y clavo recién molido

2 hojas de salvia

Fácil • Receta clásica

Por persona aproximadamente 630 kJ/150 kcal · 2 g de proteínas · 7 g de grasas · 19 g de hidratos de carbono

Tiempo de preparación: 30 minutos

Quite la corteza de las rodajas de piña y corte circularmente alrededor del centro duro y leñoso. Corte luego las rodajas en dados pequeños. • Practique una incisión a los tomates en forma de cruz por el extremo sin el tallo, escáldelos en agua hirviendo, pélelos y corte los tomates en dados; quite también los pedúnculos. • Lave con agua fría las hojas de lechuga, séquelas y póngalas en 4 copas de cóctel. • Bata la crema agria con el zumo de limón, la miel, la sal y el clavo molido, mezcle con los dados de piña y tomate, vuelva a aliñar la ensalada y llene con ella las copas de cóctel. • Lave con agua las hojas de salvia, séquelas, córtelas en tiras finas y reparta éstas sobre las porciones de ensalada. • Los *crackers* untados con mantequilla de raiforte constituyen un agradable complemento.

Ensalada con pollo y cigalas

Brillantes hitos culinarios en la lista de los alimentos

Corazones de alcachofa con cigalas

A la izquierda de la foto

2 escalonias · 3 huevos duros

3 cucharadas de vinagre de vino

2 pizcas de sal, pimienta blanca recién molida y azúcar

2 cucharaditas de alcaparras pequeñas · 1 cucharada de hierbas frescas picadas, como perifollo, perejil, eneldo, estragón, pimpinela

½ cucharadita de mostaza de Dijon

6 cucharadas de aceite de oliva

400 g de cigalas hervidas

8 corazones de alcachofas enlatados

1 limón · 4 ramitas de eneldo

Rápida • Fácil

Por persona 630 kJ/150 kcal · 13 g de proteínas · 8 g de grasas · 7 g de hidratos de carbono

Tiempo de preparación: 20 min.

Pele las escalonias y píquelas. • Pele los huevos duros y córtelos en dados pequeños. • Mezcle el aceite, la sal, la pimienta, el azúcar, las alcaparras, las hierbas, la mostaza y la escalonia. Mezcle esta salsa con los dados de huevo. • Pele las cigalas y séquelas. • Escurra los corazones de alcachofa y vierta la salsa sobre ellos. Coloque los corazones y las cigalas en 4 platos. • Corte el limón en rodajas finas y utilícelo, junto con el eneldo, para guarnecer la ensalada.

Ensalada de pollo con rodajas de naranja

A la derecha de la foto

350 g de filetes de pechuga de pollo · 2 cucharaditas de harina

1-2 cucharadas de mantequilla

5 naranjas

1 cucharadita de sal

2 pizcas de pimienta blanca recién molida

2 escalonias

1 cucharada de estragón seco

2 cogollos de endibias medianos

4 cucharadas de crema de leche

2 cucharadas de mostaza al estragón

Fácil • Elaborada

Por persona 1 300 kJ/310 kcal · 24 g de proteínas · 14 g de grasas · 25 g de hidratos de carbono

Tiempo de preparación: 40 min.
Tiempo de reposo: 1 hora.

Lave los filetes de pechuga de pollo, déjelos secar y córtelos en dados de unos 2 cm. Espolvo-ree la carne con harina. • Calien-te la mantequilla en una sartén, dore la carne 10 minutos y déjela enfriar. • Exprima el zumo de 2 naranjas y viértalo sobre la carne. Aliñe el pollo con ½ cucharadita de sal, 1 pizca de pimienta y el es-tragón; tápelo y déjelo reposar durante 1 hora como mínimo. Remueva de vez en cuando. • Quite las hojas exteriores y la cu-ña amarga de la base de las endi-bias con un cuchillo puntiagudo. • Lave las endibias y córtelas en rodajas de aproximadamente 1 cm de grosor. • Pele las otras 3 naranjas y las manzanas y quite a las primeras las membranas. Cor-te las naranjas en rodajas muy fi-nas y póngalas en platos. Colo-que en el centro de los platos las rodajas de endibias y la carne del pollo. • Pele las escalonias, pí-quelas y mézclelas con la crema de leche, la mostaza, 1 pizca de sal y otra de pimienta. Distribuya la salsa sobre la ensalada de pollo y endibia.

Fuente de «crudités»

De seductora frescura y colorido

1 rábano pequeño
1 zanahoria mediana
1 pimiento amarillo
100 g de chucrut
1 cebolla pequeña
50 g de endibias
1 manojo de berros
4 cucharadas de germen de trigo
2 cucharadas de vinagre de manzana
3 cucharadas de requesón desnatado
1 cucharadita de jarabe de arce o miel
½ cucharadita de sal
1 pizca de pimienta blanca recién molida y pimentón

Fácil

Por persona aproximadamente 420 kJ/100 kcal · 5 g de proteínas · 1 g de grasas · 18 g de hidratos de carbono

Tiempo de preparación: 45 min.

Pele finamente el rábano, lávelo y rállelo. • Repita esta misma operación con la zanahoria. • Corte por la mitad el pimiento, quítele el pedúnculo, membranas y semillas; lave y seque las mitades y córtelas en tiras finas. Corte las tiras por la mitad. Coloque en porciones individuales en una fuente grande las verduras ralladas, las tiras de pimiento y el chucrut. • Pele la cebolla y córtela en dados pequeños. • Lave la endibia, póngala a secar, quite las hojas estropeadas y córtela en tiras. Mézclela con la cebolla y póngala también en la fuente. • Corte los tallos de los berros, póngalos en un colador bajo el chorro del agua y déjelos secar. • Lave en un colador, con agua templada, los gérmenes de trigo; déjelos secar y distribúyalos en la fuente. (Para los gérmenes de trigo, vea la página 131.) Bata con la batidora de varillas hasta obtener una salsa cremosa, el vinagre con el requesón, el jarabe de arce, la sal, la pimienta y el pimentón. Rectifique la condimentación de la salsa y rocíe con ella todos los ingredientes de la ensalada. Distribuya los berros sobre la ensalada.

Escalonias a la siciliana

Tienen tan buen sabor consumidas naturales como en nuestra variante con tiras de pimiento

| 750 g de escalonias |
| 1 cucharadita de sal |
| 6 cucharadas de aceite de oliva |
| 1 cucharadita de azúcar |
| ½ taza de vinagre de vino suave |
| 1 pizca de sal y pimienta blanca recién molida |

Elaborada

Por persona aproximadamente
460 kJ/110 kcal · 3 g de
proteínas · 4 g de grasas · 16 g
de hidratos de carbono

Tiempo de preparación: 40 min.

Pele las escalonias, cúbralas con agua salada y déjelas hervir unos 10 minutos hasta que estén «al dente». Póngalas a escurrir en un colador. • Caliente el aceite en una sartén, ponga las escalonias en una cazuela, vierta en ésta el aceite y deje que se fría ligeramente. Espolvoree las escalonias con el azúcar y fríalas un poco más, de 4 a 5 minutos, dándoles la vuelta cuidadosamente. Vierta el vinagre y aliñe las escalonias con sal y pimienta. • Deje enfriar las escalonias y sírvalas, como entrada, como fiambres o pescado ahumado.

Nuestra sugerencia: Esta exquisita verdura, de tan excelente resultado como aperitivo o como acompañamiento, puede prepararse también para guardar en conserva. En este caso, una vez ya fritas las escalonias y rociadas con el vinagre, deben introducirse, todavía calientes, en tarros de tapa de rosca y cerrar inmediatamente. Resérvelos varios días en el frigorífico. Si no tiene a mano escalonias, puede hacer lo mismo con cebollas. Para ello corte en anillos o en 8 partes los ejemplares grandes. La ensalada resulta aún más atractiva si añade un pimiento verde y otro rojo. En este caso quite los pedúnculos, membranas y semillas de los pimientos y lave luego éstos; córtelos a continuación en tiras finas y blanquéelos como máximo durante 3 minutos en un poco de agua salada. Deje secar las tiras de pimiento y fríalas junto con las cebollas o las escalonias.

Hortalizas maceradas

Exquisitas modalidades del repertorio italino de entradas

Berenjenas maceradas

A la izquierda de la foto y en segundo plano

750 g de berenjenas
2-3 dientes de ajo
1 cucharadita de orégano
3 cucharadas de aceite de oliva
½ taza de vinagre de vino blanco · 1 cucharada de sal
½ taza de vino blanco seco
1 pizca de pimienta de Cayena y sal

Fácil • Económica

Por persona 460 kJ/110 kcal · 2 g de proteínas · 4 g de grasas · 10 g de hidratos de carbono

Tiempo de preparación: 45 min.
Tiempo de maceración: 24 horas

Lave las berenjenas y quite los pedúnculos. Córtelas en rodajas de ½ cm de grosor, espol-voréelas con la sal y déjelas reposar 30 min. Pele los dientes de ajo y píquelos junto con el orégano. • Lave con agua fría las berenjenas, escúrralas y seque las gotas con un lienzo. Fríalas por ambos lados y por tandas hasta dorarlas, en aceite caliente, y déjelas escurrir sobre papel absorbente. • Prepare la marinada batiendo el vinagre, el vino, el ajo picado, el orégano, la pimienta de Cayena y la sal; rocíe con ella las berenjenas y déjelas macerar 24 horas.

Zanahorias maceradas

A la izquierda de la foto y en primer plano

500 g de zanahorias jóvenes medianas
½ cucharadita de sal
4 cucharadas de vinagre
1 pizca de sal y pimienta de Cayena · 3 dientes de ajo
5 cucharadas de aceite de oliva
½ cucharadita de orégano fresco o 1 pizca de orégano en polvo

Económica • Fácil

Por persona 380 kJ/90 kcal · 2 g de proteínas · 4 g de grasas · 12 g de hidratos de carbono

Tiempo de preparación: 30 min.
Tiempo de maceración: 24 horas

Corte los extremos de las zanahorias. Cepille éstas bajo el chorro del agua corriente y déjelas hervir 20 min. en agua salada. Póngalas a escurrir en un colador y cuartéelas a lo largo. Divida los cuartos en trozos de 2 a 3 cm de longitud. • Pele los ajos y píquelos. • Bata el vinagre de vino, la sal, la pimienta de Cayena, el aceite de oliva y el orégano para obtener una salsa y mézclela con las zanahorias. • Deje macerar la ensalada 24 horas.

Hinojos macerados

A la derecha de la foto

4 hinojos (unos 750 g)
1 cucharadita de sal
1 manojo de perejil
2 pizcas de pimienta blanca

Fácil

Por persona 330 kJ/79 kcal · 3 g de proteínas · 1 g de grasas · 15 g de hidratos de carbono

Tiempo de preparación: 1 hora

Corte la base a las hojas exteriores estropeadas de los hinojos. Lave los bulbos, cuézalos en agua salada 40 min. y escúrralos. • Lave el perejil, sacúdalo y píquelo. • Corte a lo largo los bulbos en 4-6 trozos, póngalos en una ensaladera, rocíelos con el zumo de limón y distribuya por encima el perejil; condimente con la pimienta recién molida.

Ensaladas para guarnición

Ha pasado ya el tiempo de las hojas de lechuga huérfanas. Hay suficientes —y convincentes— alternativas. Muchos segundones selectos pueden convertirse en protagonistas.

Ensalada de tomate

Admite fáciles variantes según las hierbas empleadas

Ensalada cuatro estaciones

Un acompañamiento clásico para carne poco asada

500 g de tomates maduros y pequeños
3 escalonias
½ cucharadita de sal
4 pizcas de sal y pimienta negra recién molida
1 cucharada de vinagre de vino blanco
1 cucharadita de zumo de limón
3 cucharadas de aceite de oliva
Unas ramitas de tomillo

Rápida • Fácil

Por persona aproximadamente 280 kJ/67 kcal · 2 g de proteínas · 4 g de grasas · 6 g de hidratos de carbono

Tiempo de preparación: 20 minutos

Frote los tomates con un lienzo, lávelos con agua templada y séquelos. Córtelos luego en rodajas tras retirar los pedúnculos.

Ponga las rodajas en una ensaladera. • Pele las escalonias, píquelas finamente y distribúyalas sobre los tomates. • Espolvoree uniformemente los tomates con la sal y la pimienta. • Mezcle el vinagre de vino con el zumo de limón y el aceite de oliva y rocíe con esta mezcla la ensalada. • Lave bajo el chorro del agua caliente el tomillo, séquelo, quítele los tallos duros y retire las hojitas. Antes de servir distribuya el tomillo por encima de la ensalada. • Puede añadirse, dependiendo del plato principal, pan candeal cortado en trocitos pequeños.

Nuestra sugerencia: Si prefiere tomates grandes, córtelos, una vez lavados y secados, en dados de unos 3 cm de grosor, cuidando siempre de quitar los pedúnculos. Recoja el jugo que se desprende al cortar, así como las semillas y añádalos a la ensalada, porque tanto éstos como aquél contienen valiosos elementos nutritivos.

5 tomates medianos
½ cucharadita de sal
1 escalonia pequeña
½ pepino
1 manojo de rabanitos
1 lechuga arrepollada pequeña
1 manojo de berros
½ cucharada de vinagre de frutas
½ cucharadita de sal
1 pizca de pimienta blanca recién molida y azúcar
3 cucharadas de aceite de girasol
1 rebanada de pan de molde

Fácil • Rápida

Por persona 670 kJ/160 kcal · 6 g de proteínas · 6 g de grasas · 21 g de hidratos de carbono

Tiempo de preparación: 30 min.

Lave los tomates con agua templada, séquelos y divídalos en 8 partes cada uno. Quite los pedúnculos. Coloque los tomates en una esquina de la ensaladera y sálelos. • Pele las escalonias, píquelas finamente y espárzalas sobre los trozos de tomate. • Lave con agua templada el pepino; séquelo y córtelo en trozos de ½ cm de grosor. • Corte los extremos de los rabanitos, lávelos, séquelos y córtelos en rodajitas. • Quite las hojas externas estropeadas de la lechuga y lave a fondo las hojas. Seque las hojas en el centrifugador, córtelas en 4 partes y cada una en tiras. • Ponga por separado cada una de las verduras en una ensaladera. • Corte los berros, lávelos a fondo bajo el chorro del agua y déjelos secar. • Mezcle el vinagre de frutas con la sal, la pimienta y el azúcar, incorpore batiendo 2 cucharadas de aceite de girasol y rocíe la salsa sobre los ingredientes de la ensalada. • Corte en dados pequeños el pan y fríalos en 1 cucharada de aceite de oliva. • Distribuya las hojitas de berro y los dados de pan sobre la ensalada.

Ensaladas de verduras crudas con hinojos de apio

Caprichosas combinaciones que merece la pena probar

Ensalada de hinojo

A la izquierda de la foto

1 cucharada de vinagre de vino blanco
½ cucharadita de mostaza semifuerte
1 pizca de pimienta de Cayena
4 cucharadas de aceite de nueces
1 manzana roja · 2 naranjas
2 hinojos (unos 500 g)
1 pizca de sal
8 medias nueces descascaradas

Fácil • Rápida

Por persona aproximadamente 750 kJ/180 kcal · 4 g de proteínas · 8 g de grasas · 22 g de hidratos de carbono

Tiempo de preparación: 30 min.

Mezcle el vinagre con la mostaza, la pimienta de Cayena y el aceite hasta conseguir una salsa vinagreta espesa. • Lave la manzana, divídala en 4 partes y quítele el corazón. • Corte cada una de las 4 partes en lonchitas y mézclelas con la vinagreta. • Pele las naranjas como las manzanas, quitando también la membrana. Extraiga los gajos de entre los tabiques de separación y recoja el zumo que eventualmente se desprenda para añadirlo a la vinagreta. Mezcle los gajos de naranja con las lonchas de manzana. • Separe las hojas verdes tiernas del hinojo, lávelas y póngalas aparte. Corte los tallos duros y elimine las hojas exteriores generalmente duras, así como las bases de los hinojos. Lave los bulbos, divídalos en mitades y corte éstas en rodajas finas. Sale el hinojo, mézclelo con las frutas y la vinagreta, tape la ensalada y déjela macerar durante 5 minutos. • Corte mientras tanto, en trozos algo grandes, las nueces y pique las hojitas reservadas. Coloque sobre la ensalada las nueces y las hojas de hinojo y sirva inmediatamente.

Ensalada de apio y nueces

A la derecha de la foto

400 g de apio
1 manzana grande ácida
3 cucharadas de zumo de limón
1 pizca de sal, pimienta blanca recién molida y azúcar
4 cucharadas de aceite de girasol
75 g de nueces descascaradas

Fácil • rápida

Por persona aproximadamente 880 kJ/210 kcal · 4 g de proteínas · 16 g de grasas · 12 g de hidratos de carbono

Tiempo de preparación: 20 minutos

Lave los tallos de apio, corte los extremos y las hojas y quite las hebras duras. Corte los tallos en trozos de 1 cm. Pique finamente algunas hojas. • Pele la manzana, divídala en 4 partes y quítele el corazón. Córtelas luego en trocitos pequeños. Bata a fondo el zumo de limón, la sal, la pimienta, el azúcar y el aceite con la batidora de varillas y vierta la salsa sobre los trozos de apio y de manzana. Mezcle a fondo la ensalada. • Cuartee las nueces descascaradas y añádalas a la ensalada. • Esparza sobre ésta las hojas de apio picadas. El sabor de esta ensalada se realza con pan integral ligeramente tostado.

Nuestra sugerencia: Si desea dar un sabor particularmente fino a esta ensalada, puede sustituir el aceite de girasol por aceite de nueces. El aceite es apropiado, en general, para las las ensaladas que llevan dicho ingrediente.

Ensaladas a base de endibias

Las endibias combinan bien con innumerables ensaladas

Ensalada de endibias con champiñones

A la izquierda de la foto

1 diente de ajo
2 cucharadas de vinagre de vino tinto
1 cucharada de salsa de soja
1 cucharadita de mostaza semifuerte
1 pizca de azúcar
5 cucharadas de aceite de girasol
400 g de endibias
100 g de champiñones
1 pimiento (amarillo o rojo)
1 cucharada de perejil picado

Fácil • Rápida

Por persona aproximadamente 310 kJ/74 kcal · 3 g de proteínas · 4 g de grasas · 6 g de hidratos de carbono

Tiempo de preparación: 20 min.

Corte por la mitad el diente de ajo y frote con él una ensaladera. • Bata el vinagre, la salsa de soja, la mostaza y el azúcar y ponga la mezcla en la ensaladera. Bata con el aceite hasta formar una salsa espesa. • Corte las bases de las endibias y extraiga la cuña amarga cortando con un cuchillo puntiagudo hasta unos 2 cm de profundidad. Lave las hojas, séquelas o escúrralas bien. • Prepare los champiñones, lávelos y déjelos escurrir. • Lave el pimiento, córtelo por la mitad y quítele el tallo, membranas y semillas. • Corte las hojas de las endibias en trozos de unos 3 cm a partir de las puntas y colóquelos circularmente en 4 platos. Corte en tiras el resto de las hojas. Corte los champiñones en rodajas y los pimientos en tiras. • Vierta un poco de la salsa vinagreta sobre las puntas de las hojas y mezcle el resto con los ingredientes de la ensalada; esparza por encima el perejil. • Sirva inmediatamente.

Ensalada de endibias con pasas de Corinto

A la derecha de la foto

50 g de pasas de Corinto
50 g de avellanas descascaradas
400 g de endibias
2 yemas de huevo
2 cucharadas de requesón desnatado
½ cucharadita de sal, azúcar y pimienta blanca recién molida
1-2 cucharadas de vinagre de manzana
2 cucharadas de aceite de cártamo
4 hojitas de menta fresca

Rápida • Fácil

Por persona aproximadamente 1 510 kJ/360 kcal · 13 g de proteínas · 28 g de grasas · 13 g de hidratos de carbono

Tiempo de preparación: 25 min.

Ponga a remojar unos minutos en agua caliente las pasas de Corinto, lávelas luego bajo el chorro de agua fría y escúrralas. • Pique en 4 trozos las avellanas y resérvelas. • Arranque las hojas exteriores de las endibias. Recorte un poco las bases, lave y seque los cogollos. Extraiga con un cuchillo puntiagudo la cuña amarga del extremo de la base, porque es aquí donde se encuentra la mayor parte de las sustancias. Divida los cogollos en rodajas y mézclelas con las pasas secas y las avellanas picadas. • Bata las yemas de huevo con el requesón, la sal, el vinagre y el aceite y aliñe con ello la ensalada. • Lave las hojitas de menta, séquelas, córtelas en tiras y espárzalas sobre la ensalada.

<u>Nuestra sugerencia:</u> Las endibias tienen también agradable sabor en combinación con frutas, sobre todo exóticas, como la chirimoya, los dátiles, el kiwi o el mango.

Ensalada de colinabo y germen de soja

Lo ideal sería utilizar brotes tiernos cultivados por usted.

Ensalada de zanahorias y colinabos

La salsa al queso azul le proporciona un sabor especial

| 1 cucharada de granos de sésamo |
| 4 colinabos pequeños |
| 2 cucharadas de zumo de limón |
| 150 g de germen de soja |
| 3 cucharadas de vinagre de manzana |
| 1 cucharada de jarabe de arce o miel |
| 1 cucharadita de sal de hierbas |
| 2 cucharadas de aceite de nueces |

Receta integral • Rápida

Por persona aproximadamente 540 kJ/130 kcal · 5 g de proteínas · 8 g de grasas · 8 g de hidratos de carbono

Tiempo de preparación: 20 minutos

Tueste los granos de sésamo en una sartén seca y remueva a fuego moderado hasta que despidan un olor agradable. • Pele los colinabos y córtelos en rodajas y luego éstas en tiras. Lave la parte verde tierna, séquela y píquela finamente. • Lave y seque las manzanas, cuartéelas, quíteles el corazón y rócielas con el zumo de limón. • Blanquee durante 3 minutos en agua hirviendo los gérmenes de soja, déjelos secar y mézclelos con los trozos de manzana y los trocitos de las hojitas del colinabo. • Mezcle el vinagre con el jarabe, la sal y el aceite. Aliñe con ello la ensalada y esparza por encima el sésamo.

Nuestra sugerencia: Si quiere cultivar brotes o gérmenes, lea las instrucciones de la página 131. Para los gérmenes de soja utilice las judías de soja verdes (soja mungo), que pueden comprarse en verdulerías o en tiendas especializadas en productos naturales o dietéticos.

| 400 g de zanahoria |
| 3 bulbos pequeños de colinabo |
| 50 g de queso azul |
| 1 yogur cremoso |
| 2 cucharadas de vinagre de manzana |
| 1 pizca de sal, azúcar y pimienta blanca recién molida |
| ½ manojo de perejil |
| 50 g de nueces descascaradas finamente picadas |

Económica • Fácil

Por persona aproximadamente 840 kJ/200 kcal · 8 g de proteínas · 11 g de grasas · 17 g de hidratos de carbono

Tiempo de preparación: 25 min.
Tiempo de reposo: 10 minutos

Pele las zanahorias, lávelas, séquelas y córtelas en tiras finas (juliana). • Pele los colinabos y divídalos primero en lonchas y luego también en juliana. Lave y pique finamente la parte verde y tierna de los colinabos. • Aplaste el queso azul con un tenedor, mézclelo con el yogur y aliñe la salsa con el vinagre, la sal, el azúcar y la pimienta. • Lave el perejil, séquelo, píquelo finamente y mézclelo con la parte verde de los colinabos y la salsa. Aliñe con ella la zanahoria y el colinabo. • Tape la ensalada, déjela macerar durante 10 minutos y sírvala con las nueces esparcidas por encima.

Nuestra sugerencia: En lugar de las nueces puede esparcir sobre la ensalada 2 cucharadas de pipas de girasol tostadas. Si le parece que el queso azul tiene un sabor demasiado fuerte, puede sustituirlo por queso crema.

Ensalada de zanahoria y apio

Hortalizas con sabores exóticos

Ensalada de lechuga y clementinas

Con salsa de yogur o vinagreta americana

| 1 yema de huevo |
| 1 pizca de sal |
| 4 cucharadas de zumo de limón |
| 1 cucharada de salsa de soja |
| 2 cucharadas de mango chutney (salsa comercial) |
| 2 cucharadas de aceite de girasol |
| 1-2 cucharaditas de miel líquida |
| Unas gotas de salsa de tabasco o pimienta de Cayena |
| 500 g de zanahorias |
| 125 g de apio |
| 1 manzana |
| 1 puerro pequeño |
| Unas hojas de lechuga |

Económica • Fácil

Por persona aproximadamente
1 090 kJ/260 kcal · 8 g de
proteínas · 13 g de grasas · 27 g
de hidratos de carbono

Tiempo de preparación: 25
minutos

Mezcle la yema de huevo con la sal, el zumo de limón, la salsa de soja y el mango chutney. Bata bien el aceite. Dé a la vinagreta un sabor agridulce y algo fuerte mediante la miel, el tabasco o la pimienta de Cayena. • Raspe las zanahorias y el apio, lávelos y rállelos. Mezcle inmediatamente ambas hortalizas con la vinagreta. • Pele la manzana, quítele el corazón, rállela también y añádala a los restantes ingredientes. • Utilice sólo las partes blancas y las verdes tiernas del puerro cortadas en finos anillos. Lave a fondo éstos, déjelos escurrir bien y mézclelos con los restantes ingredientes. • Lave las hojas de lechuga, séquelas y póngalas en 4 platos o en una ensaladera. Aliñe a continuación la ensalada de zanahorias y apio y sírvala cuanto antes.

| 1 lechuga |
| 1 yogur |
| 1 cucharadita de mostaza semifuerte |
| 1 cucharada de miel líquida |
| 2 cucharadas de zumo de limón |
| 40 g de semillas de girasol |
| 4 clementinas |

Fácil • Rápida

Por persona aproximadamente
630 kJ/150 kcal · 6 g de
proteínas · 6 g de grasas · 18 g
de hidratos de carbono

Tiempo de preparación: 15
minutos

Limpie la lechuga y córtela en tiras finas. Lávela dos veces (contiene a menudo mucha tierra) y séquela o deje que escurra bien. • Bata a fondo el yogur con la mostaza, la miel y el zumo de limón. Mezcle la lechuga con la vinagreta y la mitad de las semi-llas de girasol y distribúyala en 4 platos. Esparza por encima las semillas restantes. • Pele las clementinas y córtelas en trocitos o sepárelas por gajos. Adorne con ellos los platos de ensalada.

Nuestra sugerencia: La ensalada de lechuga tiene también un buen sabor con la vinagreta americana. Para ello, mezcle bien 3 cucharadas de zumo de naranja con 1 cucharada de vinagre de vino, ½ cucharadita de pimentón dulce, ½ cucharadita de sal de apio y 1 cucharadita de azúcar. Bata todo esto con 4 cucharadas de aceite de maíz o girasol. Tape y deje reposar en frío durante 1 hora. Poco antes de servir aliñe con ello la ensalada de lechuga y añada además 1 plátano cortado en rodajas.

Ensaladas de otoño e invierno

Exquisitas combinaciones a base de puerros

Ensalada de puerros con tocino

A la izquierda de la foto

---

100 g de tocino ahumado entreverado

3 puerros

3 cucharadas de vinagre balsámico

1 pizca de sal y pimienta de Cayena

2 cucharadas de aceite de semillas

½ cucharadita de mostaza fuerte

Económica • Fácil

Por persona 1 010 kJ/240 kcal · 5 g de proteínas · 21 g de grasas · 8 g de hidratos de carbono

Tiempo de preparación: 20 min.

Corte en dados muy pequeños el tocino, tuéstelos en una sartén seca, sáquelos de la misma y déjelos secar sobre papel absorbente. • Corte la base de los puerros, lávelos y córtelos luego en anillos finos. Blanquee el puerro puesto en un colador sumergido en agua hirviendo 1 min. y luego déjelo escurrir y enfriar. Bata el vinagre con la sal, la pimienta de Cayena, el aceite y la mostaza. Aliñe el puerro con la salsa y mézclelo con los dados de tocino. • Mantenga la ensalada tapada y en maceración hasta el momento de servir. Sabe mejor cuando está todavía un poco caliente.

Nuestra sugerencia: Esta ensalada puede complementarse con tiras de zanahoria blanqueadas y ramitos de coliflor hervidos.

Ensalada de puerros con manzanas y uvas

A la derecha de la foto

---

3 puerros medianos

2 manzanas rojas pequeñas

2 cucharadas de zumo de limón

12 uvas negras · 12 uvas blancas

½ cucharadita de mostaza semifuerte · 1 yema de huevo

4 cucharadas de aceite de pepitas de uva

2 pizcas de sal y pimienta blanca recién molida · 1 pizca de azúcar

1 manojo de eneldo

Económica • Fácil

Por persona 1 010 kJ/240 kcal · 8 g de proteínas · 13 g de grasas · 23 g de hidratos de carbono

Tiempo de preparación: 30 min.

Corte las bases y las hojas oscuras de los puerros, lávelos y córtelos en anillos finos. Blanquéelos 1 minuto en agua hirviendo, póngalos luego en un colador, lávelos bajo el chorro del agua fría y déjelos escurrir. • Lave las manzanas, fróteles para que se sequen, cuartéelas y quíteles el corazón. Corte los trozos en rodajas finas y rocíelas con 1 cucharada de zumo de limón. • Lave las uvas, córtelas por la mitad y quíteles las pepitas. • Mezcle la yema de huevo con la mostaza y añada el aceite, mientras bate con la batidora de varillas, primero gota a gota y luego en un hilillo fino. Incorpore a la mayonesa 1 cucharada de zumo de limón, la sal, la pimienta y el azúcar. • Lave el eneldo, séquelo y córtelo con la tijera sobre la mayonesa. • Mezcle los anillos de puerro ya secos, las rodajas de manzana y las mitades de las uvas (6 blancas y 6 negras) y ponga en 4 platos. Vierta por encima la mayonesa y decore la ensalada de puerros con el resto de las uvas.

Del repertorio internacional de las ensaladas

Ensaladas de hojas combinadas con frutas y abundantes hortalizas

Ensalada de escarola y rabanitos

A la izquierda de la foto

1 escarola
1 manojo de rabanitos
1 pizca de sal y pimienta blanca recién molida
4 mandarinas
1 plátano pequeño
4 cucharadas de zumo de limón
1 cucharada de jerez
2 dl de crema de leche agria

Rápida • Económica

Por persona aproximadamente 960 kJ/230 kcal · 4 g de proteínas · 16 g de grasas · 16 g de hidratos de carbono

Tiempo de preparación: 20 minutos

Corte la escarola en tiras, lávelas en un colador bajo el chorro del agua fría y déjelas secar. • Prepare y lave los rabanitos, córtelos en rodajas y mézclelos con las tiras de escarola; sazone con sal y la pimienta. • Pele las mandarinas, desgájelas, quite las membranas de los gajos y divida éstos en trozos pequeños. Mezcle la ensalada con los trozos de mandarina. • Pele el plátano, aplástelo y mézclelo con el zumo de limón, el jerez y la crema de leche agria. Vierta la salsa sobre la ensalada.

<u>Nuestra sugerencia:</u> Este tipo de ensalada es particularmente suave. Si le apetece un sabor más fuerte, prescinda de las mandarinas y en su lugar ponga anillos de cebolla finamente cortados. En este caso aliñe con una vinagreta, hierbas variadas recién picadas y unos granos de pimienta verde en conserva.

Ensalada californiana

A la derecha de la foto

1 lechuga iceberg pequeña
4 tomates
1 pepino pequeño
1 pimiento rojo y verde
100 g de grano de maíz enlatado
½ manojo de eneldo
1 dl de crema de leche espesa
1 *petit-suisse* grande
2 cucharadas de vinagre de jerez
1 cucharada de ketchup
1 pizca de sal, pimienta blanca recién molida y azúcar

Rápida • Económica

Por persona aproximadamente 1 010 kJ/240 kcal · 7 g de proteínas · 14 g de grasas · 20 g de hidratos de carbono

Tiempo de preparación: 20 minutos

Quite las hojas externas estropeadas de la lechuga, córtela en tiras finas, lávelas dispuestas en un colador bajo el chorro del agua fría y déjelas escurrir bien. • Lave los tomates, séquelos, córtelos en octavos y retire los pedúnculos. • Lave el pepino, séquelo y córtelo en rodajas finas. • Corte los pimientos por la mitad y retíreles pedúnculos, membranas y semillas. Lave las mitades, escúrralas y córtelas en tiras. • Escurra los granos de maíz. • Lave el eneldo, séquelo, píquelo finamente y mézclelo con la crema de leche, el *petit-suisse*, el vinagre, el ketchup y los condimentos. • Ponga en una ensaladera los ingredientes de la ensalada antes preparados, vierta encima la salsa de eneldo y mezcle a fondo.

<u>Nuestra sugerencia:</u> Esta ensalada, que en principio es sólo acompañamiento, puede convertirse en plato principal si se le añade atún en conserva.

Ensaladas mixtas con un sello personal

Cuanto más rica la oferta, más aumenta el apetito

Ensalada en amarillo

A la izquierda de la foto

2 endibias medianas

2 pimientos amarillos

300 g de granos de maíz enlatado · 2 tallos de apio

4 cucharadas de requesón desnatado

1 cucharadita de miel

1-2 cucharadas de vinagre de manzana

1 cucharada de aceite de girasol

1 pizca de sal, pimienta blanca recién molida y azúcar moreno

4 cucharadas de germen de trigo

2 cucharadas de semillas de lino

Fácil

Por persona 880 kJ/210 kcal · 9 g de proteínas · 5 g de grasas · 33 g de hidratos de carbono

Tiempo de preparación: 35 min.

Quite las hojas externas de las endibias y corte un poco las bases. Lave los cogollos y extraiga la cuña amarga de las mismas. • Divida en 4 partes los pimientos y quíteles pedúnculos, membranas y semillas. Lave las mitades de los pimientos, séquelas y córtelas en tiras. • Deje escurrir los granos de maíz. • Lave los tallos de apio y quite los hilos gruesos. Corte luego los tallos en rodajitas de ½ cm de grosor. • Coloque las hortalizas una tras otra en un cuenco o fuente grande, mézclelas suavemente y póngalas a continuación en una fuente de cristal. • Bata el requesón con la miel, el vinagre de manzana y el aceite de girasol, y dé un fuerte sabor agridulce con la sal, la pimienta y el azúcar de caña. Vierta la salsa sobre la ensalada. • Lave en un colador los gérmenes de trigo, escurra bien y esparza las semillas de lino sobre la ensalada.

Ensalada mixta

A la derecha de la foto

Ingredientes para 6 personas:

1 diente de ajo · 1 cebolla roja

1 lechuga común o *lollo rosso*

1 manojo de cebollas tiernas

400 g de tomate

2 calabacines pequeños

1 manojo de rabanitos

1 pimiento amarillo

3 cucharadas de vinagre de hierbas · 2 tallos de apio

½ cucharadita de sal y pimienta

3 cucharadas de aceite de oliva

1 pizca de azúcar

1 manojo de hierbas variadas, como albahaca, cebollino y estragón

Económica

Por persona 750 kJ/180 kcal · 8 g de proteínas · 5 g de grasas · 25 g de hidratos de carbono

Tiempo de preparación: 30 min.

Corte por la mitad el diente de ajo y frote con él una ensaladera grande. • Corte en tiras anchas la lechuga. Lávela puesta en un colador dispuesto bajo el chorro del agua fría y déjela secar. • Prepare y lave las cebollas tiernas y córtelas en anillos. • Lave los tomates, séquelos, córtelos en octavos y retire los pedúnculos. • Prepare y lave los calabacines y los rabanitos, séquelos y córtelos en rodajas. • Pele la cebolla y córtela en anillos finos. • Corte por la mitad el pimiento, quítele el pedúnculo, membranas y semillas y córtelo en tiras. • Prepare, lave los tallos de apio y córtelos en rodajitas. • Mezcle el vinagre con la sal, la pimienta, el aceite y el azúcar. Pique las hierbas. • Mezcle los ingredientes de la ensalada con la salsa y esparza por encima las hierbas.

57

Ensalada de pepino al eneldo

Una ensalada refrescante y singularmente «esbelta»

1 kg de pepinos
2 cucharaditas de zumo de limón
½ cucharadita de sal
1 pizca generosa de pimienta blanca recién molida y azúcar moreno
1 cucharada de aceite de sésamo
1,2 dl de crema de leche agria
1 manojo de eneldo

Económica • Rápida

Por persona aproximadamente 630 kJ/150 kcal · 3 g de proteínas · 12 g de grasas · 7 g de hidratos de carbono

Tiempo de preparación: 20 minutos

Frote los pepinos con un lienzo, lávelos con agua templada y séquelos. Córtelos en rodajas y éstas en tiras. • Mezcle el zumo de limón con la sal, la pimienta y el azúcar moreno; incorpore batiendo el aceite de sésamo y la crema de leche agria y aliñe la ensalada con la salsa. • Lave el eneldo bajo el chorro del agua, séquelo y corte las puntas en trozos pequeños. Sirva la ensalada con el eneldo esparcido por encima.

Nuestra sugerencia: Con la ensalada de pepino combinan bien —además del eneldo— la borraja, la pimpinela, el romero y las hojitas de menta. En lugar de la crema de leche agria puede utilizar crema de leche común o una salsa a base simplemente de aceite y vinagre. Si desea algo especialmente sabroso y fuerte, puede cortar en anillos muy finos una guindilla verde pequeña y esparcirla sobre la ensalada de pepino junto con una pizca de pimentón dulce.

Ensalada de pimientos tunecina

Cuanto más maduras estén las frutas, más atrayente será su aroma

750 g de pimientos verdes
2 guindillas
2 cebollas
3 dientes de ajo
6 cucharadas de aceite de oliva
500 g de tomates maduros
1 cucharadita de sal
2-3 pizcas de pimienta negra recién molida
2 cucharaditas de albahaca finamente picada

Fácil

Por persona aproximadamente 590 kJ/140 kcal · 5 g de proteínas · 5 g de grasas · 18 g de hidratos de carbono

Tiempo de preparación: 40 min.
Tiempo de reposo: 30 minutos

Lave los pimientos y las guindillas, séquelos bien, póngalos sobre la chapa de la cocina o sobre la parrilla del horno y tuéstelos mientras les da vueltas, hasta que la piel se oscurezca y reviente. • Pele las cebollas y los dientes de ajo, píquelos finamente y mézclelos con el aceite de oliva. • Quite la piel reventada de los pimientos y de las guindillas, corte los pimientos por la mitad, quíteles tallos, membranas y semillas y corte y divida las mitades en pequeños dados. • Practique una incisión en forma de cruz a los tomates por su extremo redondeado y escáldelos en agua hirviendo. Cuando la piel de los tomates se levante, pélelos y córtelos en pequeños dados, tras retirar los pedúnculos. Añada a la salsa de la ensalada el zumo del tomate y las pepitas que hayan caído sobre la tabla de cortar. • Sazone los dados de pimiento y los trozos de tomate con la sal y pimienta y vierta por encima la mezcla de cebolla y aceite. • Tape la ensalada, póngala a macerar durante 30 minutos en el frigorífico y sírvala con la albahaca esparcida por encima.

Ensaladas con diente de león

Son sabrosas, nutritivas y sacian el apetito

Ensalada de diente de león y trigo

A la izquierda de la foto

100 g de granos de trigo verdes
1 hoja de laurel pequeña
2 cucharaditas de cubito de caldo de verduras
1 cucharada de salsa de soja
2 cucharadas de vinagre de vino tinto · 1 cebolla roja
2 cucharadas de aceite de oliva
1-2 pizcas de pimienta negra recién molida
100-150 g de dientes de león silvestre o 250 g cultivado
1,5 dl de crema de leche agria
2 cucharaditas de mostaza semifuerte · 1 yogur
10 aceitunas negras
½ cucharadita de sal marina

Receta integral • Fácil

Por persona 1 390 kJ/330 kcal · 8 g de proteínas · 21 g de grasas

· 28 g de hidratos de carbono

Tiempo de remojo: 12 horas
Tiempo de preparación: 20 min.
Tiempo de reposo: 10 minutos

Deje remojar durante la noche los granos de trigo en ½ l de agua. • Cuézalos a fuego lento 15 min. en el agua del remojo, con la hoja de laurel y el caldo de verduras, escúrralos y quite la hoja de laurel. • Mezcle en una fuente los granos con la salsa de soja, el vinagre, el aceite y la pimienta. • Prepare el diente de león, corte la base de los tallos y las hojas marchitas; lávelo a fondo, déjelo secar bien y píquelo. • Pele la cebolla, cuartéela a lo largo y córtela transversalmente en rodajas finas. • Bata el yogur y la crema de leche agria con la mostaza y aliñe con ello los granos y los ingredientes desmenuzados. Deshuese las aceitunas, píquelas en trozos grandes, mézclelas con la ensalada y déjela macerar 10 minutos.

Ensalada de diente de león con judías azuki

A la derecha de la foto

150 g de judías azuki
1 hoja de laurel
2 cucharaditas de cubito de caldo de verdura · 2 escalonias
100-150 g de dientes de león silvestre o 250 cultivado
2-3 tomates amarillos o rojos
5-6 cucharadas de vinagre de vino tinto · 1 cebolla roja
5-6 cucharadas de aceite de oliva
1 cucharadita de sal
1-2 pizcas de pimienta negra recién molida

Receta integral • Fácil

Por persona 500 kJ/120 kcal · 4 g de proteínas · 5 g de grasas · 15 g de hidratos de carbono

Tiempo de remojo: 12 horas
Tiempo de preparación: 40 min.
Tiempo de reposo: 10 minutos

Deje remojar toda la noche, en ¾ l de agua, las judías azuki. • Cuézalas a fuego lento 30 min. en el agua del remojo, con la hoja de laurel y el caldo de verduras; déjelas escurrir y enfriar un poco en un colador. Quite la hoja de laurel. • Prepare mientras tanto el diente de león, retire las bases de los tallos y las hojas marchitas, lávelo, déjelo secar y córtelo en trozos pequeños. Pele las escalonias y la cebolla, pique las escalonias, cuartee la cebolla a lo largo y córtela luego en tiras finas. • Lave los tomates y córtelos en octavos a lo largo. Quite los pedúnculos. • Ponga en una fuente los ingredientes antes preparados. Bata el vinagre, el aceite, la sal y la pimienta para obtener una salsa y viértala sobre las judías, el diente de león y las cebollas. Deje reposar la ensalada 10 minutos.

Viejas ensaladas con acentos nuevos

Dos ensaladas que hacen un buen papel

Ensalada de judías con huevo

A la izquierda de la foto

500 g de judías amarillas
¼ cucharadita de sal
1 huevo duro · 1 cebolla
2 cucharadas de vinagre de vino blanco
¼-½ cucharadita de mostaza suave
1 pizca de sal y pimienta blanca recién molida
4 cucharadas de aceite de girasol
2 cucharadas de perejil recién picado

Fácil

Por persona aproximadamente 590 kJ/140 kcal · 6 g de proteínas · 7 g de grasas · 11 g de hidratos de carbono

Tiempo de preparación: 30 min.
Tiempo de reposo: 15 minutos

Lave las judías con agua templada, escúrralas, córteles los extremos y, si es necesario, quíteles los hilos. Corte por la mitad o en 4 trozos las judías grandes. Cúbralas con agua, sale y póngalas a hervir tapadas y a fuego lento 15 minutos. • Pele el huevo y píquelo finamente. Pele la cebolla y píquela finamente. • Ponga las judías cocidas en un colador, enfríelas y déjelas escurrir. • Bata a fondo el vinagre, la mostaza, la sal, la pimienta y el aceite. • Mezcle suavemente en una fuente las judías escurridas con la cebolla y la salsa; tape y deje reposar 15 minutos. • Antes de servir, esparza sobre la ensalada el nuevo picado y el perejil.

<u>Nuestra sugerencia</u>: Puede conseguir también una exquisita ensalada con judías verdes tiernas. Pruebe la ensalada de judías con una salsa vinagreta y, si a la familia le gusta, añádale además un poco de ajo.

Endibia roja al estilo mediterráneo

A la derecha de la foto

400 g de hojas de endibia roja de Verona · 100 g de perifollo
3 hojitas frescas de verdolaga
1 corteza de pan no demasiado pequeña · 2 dientes de ajo
2 cucharadas de vinagre de frutas · 2 huevos duros
1 cucharadita de mostaza semifuerte
¼ cucharadita de sal
1 pizca generosa de pimienta negra recién molida
4 cucharadas de aceite de oliva

Económica • Fácil

Por persona 1 090 kJ/260 kcal · 12 g de proteínas · 11 g de grasas · 27 g de hidratos de carbono

Tiempo de preparación: 25 min.

Arranque las hojas de la endibia roja y lávelas a fondo varias veces en un recipiente con agua. Ponga luego las hojas en la centrifugadora o déjelas escurrir. Quite las partes de las hojas estropeadas y corte las grandes en trozos más pequeños. • Lave bajo el chorro del agua el perifollo y las hojitas de verdolaga y séquelas. Corte en trocitos algo más pequeños las hojas de verdolaga y quite los tallos duros del perifollo. Mezcle las hierbas con las hojas de endibia roja. • Pele los dientes de ajo. Parta por la mitad uno de ellos y frote con él enérgicamente la corteza de pan. Corte luego ésta en trocitos e incorpórelos a la ensalada. Aplaste el ajo restante en el prensaajos y póngalo en una tacita. • Pele y pique finamente los huevos. • Mezcle el vinagre con la mostaza, la sal, la pimienta y el ajo aplastado e incorpore a todo ello el aceite. Aliñe la ensalada con la salsa y esparza sobre ella el huevo picado.

Endibia roja con salsas extrafinas

Esta interesante hoja italiana admite numerosos complementos

Ensalada de hierba de los canónigos con endibia roja

A la izquierda de la foto

100 g de hierba de los canónigos

1 endibia roja de Verona

3 mandarinas

1 cebolla blanca pequeña

1 manzana pequeña

3 cucharadas de vinagre de manzana

½-1 cucharadita de sal de hierbas

1 cucharadita de jarabe de arce o miel

1 pizca de pimienta blanca recién molida

2 cucharadas de aceite de nueces

Económica • Fácil

Por persona 500 kJ/120 kcal · 2 g de proteínas · 5 g de grasas · 16 g de hidratos de carbono

Tiempo de preparación: 25 min.

Prepare la hierba de los canónigos, lávela a fondo y déjela escurrir. • Deshoje la endibia roja, parta las hojas en trozos pequeños, póngalas en un colador bajo el chorro del agua fría y déjelas escurrir. • Pele las mandarinas, divídalas en gajos, quite con un cuchillo puntiagudo las membranas y divida los gajos por la mitad. • Pele y pique finamente la cebolla. • Mezcle suavemente en una fuente los ingredientes preparados. • Cuartee la manzana y pélela; quite el corazón, ralle los trozos de manzana y mézclelos con el vinagre de manzana, la sal de hierbas, el jarabe o la miel, la pimienta y el aceite. Aliñe la ensalada con la salsa de manzana.

Nuestra sugerencia: En vez de los gajos de mandarina puede emplear 200 g de champiñones cortados en rodajas finas. En este caso prepare la salsa con zumo de limón, aceite de germen de trigo, sal y pimienta.

Endibia roja con queso roquefort

A la derecha de la foto

1 endibia roja de Verona grande

1 manojo de berros

100 g de nueces descascaradas

100 g de queso roquefort

1 cucharada de vinagre de vino tinto

1 yogur

1 pizca de sal y pimienta negra recién molida

Rápida • Fácil

Por persona aproximadamente 1 090 kJ/260 kcal · 12 g de proteínas · 21 g de grasas · 8 g de hidratos de carbono

Tiempo de preparación: 20 minutos

Tiempo de reposo: 10 minutos

Deshoje la endibia roja, parta las hojas en trozos pequeños, lávelas en un colador bajo el chorro del agua fría y déjelas escurrir. • Lave los berros, déjelos secar y córtelos en trozos pequeños. • Pique en trozos grandes las nueces peladas. • Aplaste el queso roquefort con un tenedor y mézclelo con el vinagre, el yogur, la sal y la pimienta. • Mezcle en una ensaladera la endibia roja con los berros y las nueces, aliñe con la salsa; tape y deje reposar durante 10 minutos.

Nuestra sugerencia: Si quiere acentuar todavía más la nota algo picante de la endibia roja, ralle la raíz pelada y añada las ralladuras al resto de los ingredientes. El queso roquefort puede sustituirse por otros quesos azules del mismo estilo, como el gorgonzola o el bavaria-blu o el cabrales.

Ensalada de col china con uvas

Proponemos tres variantes sabrosas

| 50 g de granos de sésamo |
| 125 g de uvas verdes |
| 125 g de uvas negras |
| 250 g de col china |
| 100 g de hierba de los canónigos |
| 2 cucharadas de zumo de limón |
| 2 cucharaditas de miel líquida |
| 1 pizca de jengibre molido, pimienta blanca recién molida y clavo molido |
| 2 cucharadas de aceite de sésamo |

Receta integral • Económica

Por persona aproximadamente 760 kJ/180 kcal · 4 g de proteínas · 11 g de grasas · 17 g de hidratos de carbono

Tiempo de preparación: 30 minutos

Tueste los granos de sésamo en una sartén de fondo grueso, al tiempo que los remueve, hasta que comiencen a tomar color y despedir un aroma agradable. Resérvelos aparte. • Arranque los rabitos de las uvas, lávelas, córtelas por la mitad y quite las pepitas. • Quite el tronco y las hojas estropeadas de la col; lave y escurra bien las hojas restantes y córtelas en tiras transversales. • Prepare la hierba de los canónigos, lávela y escúrrala bien. • Mezcle el zumo de limón con la miel, el jengibre y el clavo molido e incorpore batiendo el aceite de sésamo. Mezcle en una fuente la salsa con los ingredientes antes preparados. Esparza finamente los granos de sésamo sobre la ensalada.

<u>Nuestra sugerencia:</u> Para conseguir variantes de sabor no menos interesantes, pueden sustituirse los granos y el aceite de sésamo por nueces y aceite de nueces, o también por semillas de girasol tostadas y aceite de girasol.

Ensalada de espárragos verdes

Un acompañamiento verde-blanco-rojo para los espárragos

| 1 kg de espárragos verdes |
| 1 cucharadita de sal |
| 1 terrón de azúcar |
| 250 g de champiñones pequeños |
| 1 cucharada de mantequilla |
| 2 pizcas de sal |
| 2-3 tomates fuertes |
| 3 cucharadas de vinagre de vino |
| 1 pizca de pimienta blanca recién molida y pimentón picante |
| 5 cucharadas de aceite de oliva |
| 2 cucharadas de perejil recién picado |

Fácil • Elaborada

Por persona aproximadamente 630 kJ/150 kcal · 8 g de proteínas · 7 g de grasas · 15 g de hidratos de carbono

Tiempo de preparación: 45 minutos

Lave los espárragos y quite las puntas duras y leñosas. Ate los tallos en manojos de seis en seis y póngalos a hervir en una cacerola grande, con la sal, el terrón de azúcar y el agua suficiente para cubrirlos enteramente. Tape y deje cocer de 15 a 20 minutos. • Prepare los champiñones, lávelos, córtelos en rodajitas y fríalos 10 minutos en mantequilla caliente. Déjelos enfriar y sálelos ligeramente. • Escalde los tomates, pélelos, córtelos en mitades y quite pedúnculos y semillas. Corte las mitades en dados pequeños. • Deje escurrir los espárragos, córtelos en trozos de 4 cm de longitud y mézclelos en una fuente con los champiñones y los tomates. • Mezcle el vinagre, el resto de la sal, la pimienta, el pimentón y el aceite para obtener una salsa y viértala sobre las hortalizas. Remueva con cuidado los ingredientes y espolvoree la ensalada con el perejil. • Deje reposar la ensalada 30 minutos.

Ensaladas del sur de Europa

Ligeras y refrescantes para los cálidos días veraniegos

Ensalada de calabacines

A la izquierda de la foto

½ cucharadita de sal

Unos cubitos de hielo

1 cebolla · 1 ½ l de agua

4 tomates pequeños maduros

4 cucharadas de dados de calabaza enlatados o hervidos

2 cucharadas de vinagre de hierbas · 500 g de calabacines

1 cucharada del líquido de la calabaza

1 pizca de sal, pimienta blanca recién molida y sal

1 diente de ajo pequeño

4 cucharadas de aceite de oliva

2 cucharadas de cebollino picado

Económica • Fácil

Por persona 460 kJ/110 kcal · 4 g de proteínas · 4 g de grasas · 15 g de hidratos de carbono

Tiempo de preparación: 25 min.

Frote los calabacines con un lienzo, lávelos y déjelos escurrir. Córtelos, sin pelarlos, en rodajas no demasiado finas y quite ambos extremos. • Ponga a hervir el agua con la sal y blanquee 2 min. los calabacines puestos en un colador en el agua hirviendo. Sumérjalos luego en agua con los cubitos de hielo y déjelos escurrir. • Pele la cebolla y píquela. • Lave y seque los tomates, córtelos en octavos y corte los pedúnculos. • Deje escurrir los cubitos de calabaza y córtelos en trozos pequeños. • Mezcle el vinagre con el líquido de la calabaza, la pimienta, el azúcar y la sal. Pele el diente de ajo y aplástelo con el prensaajos sobre un plato. Mezcle el ajo con el vinagre salpimentado e incorpore el aceite batiendo. • Aliñe con la salsa los ingredientes de la ensalada y esparza el cebollino por encima.

Ensalada de corazones de alcachofa

A la derecha de la foto

200 g de lechuga arrepollada

200 g de hojas de endibia roja de Verona · 2 cebollas pequeñas

100 g de hierba de los canónigos

200 g de corazones de alcachofa enlatados · 1 diente de ajo grande

2 cucharadas de vinagre de vino blanco

1 pizca de sal, pimienta blanca y azúcar · 4 cucharadas de aceite de girasol · 2 cucharadas de hierbas mezcladas recién picadas

Fácil

Por persona 400 kJ/95 kcal · 4 g de proteínas · 5 g de grasas · 10 g de hidratos de carbono

Tiempo de preparación: 25 min.

Deshoje una por una las hojas de la lechuga y la endibia roja y lávelas varias veces en un recipiente con agua. Recorte las bases de las hojas de la hierba de los canónigos, lávelas y séquelas o póngalas en la centrifugadora. • Pele las cebollas y córtelas en anillos finos. • Deje escurrir los corazones de alcachofa y cuartéelos. • Pele el diente de ajo y aplástelo con el prensaajos sobre un plato pequeño. • Mezcle el vinagre, la sal, la pimienta y el azúcar hasta que éste se haya disuelto. Bata el vinagre con el ajo, incorporando el aceite. • Coloque las hojas de lechuga, endibia y hierba de los canónigos en una fuente, distribuya sobre ella los corazones de alcachofa y los anillos de cebolla y vierta la salsa por encima. • Espolvoree la ensalada con las hierbas y sírvala lo más pronto posible.

Ensalada de col roja con pepitas de calabaza

Un acompañamiento de fácil preparación

Hierba de los canónigos con tocino

Como parte sustantiva de un menú de invierno

1 cogollo pequeño de col roja
1 l de agua
½ cucharadita de sal
2 cucharadas de vinagre
4 cucharadas de zumo de limón
2 cucharadas de miel líquida
1 pizca generosa de pimienta negra recién molida
4 cucharadas de aceite de nueces
50 g de pepitas de calabaza
100 g de queso de oveja

Fácil • Elaborada

Por persona aproximadamente 930 kJ/220 kcal · 9 g de proteínas · 15 g de grasas · 12 g de hidratos de carbono

Tiempo de preparación: 20 minutos
Tiempo de reposo: 1 hora

Quite las hojas externas de la col roja. Divídala en 4 partes y quite el tronco. Corte las hojas con un cuchillo o robot en tiras finas. • Hierva en una olla el agua con la sal y el vinagre. Blanquee la col 1 minuto, póngala en un colador y déjela escurrir bien. • Mezcle el zumo de limón con la miel, la pimienta y el aceite. Aliñe en un cuenco la col con la salsa, tápela y déjela reposar 1 hora. • Tueste las pepitas de calabaza en una sartén sin grasa y a fuego moderado durante 1 minuto removiendo. • Desmenuce el queso de oveja y distribúyalo junto con las pepitas de calabaza sobre la ensalada.

Nuestra sugerencia: La ensalada de col roja resulta también agradable con una salsa de arándanos. Mezcle 2 cucharadas de vinagre, 1 cucharada de zumo de limón, 2 cucharadas de confitura de arándanos y 6 cucharadas de aceite de oliva. Añada una manzana picada y deje reposar la ensalada.

4 lonchas de tocino ahumado (50 g)
1 cebolla mediana
2 cucharadas de aceite
250 g de hierbas de los canónigos
1 endibia
1 pizca de sal y vinagre negra recién molida
4 cucharadas de zumo de limón
1 manojo de cebollino

Fácil • Económica

Por persona aproximadamente 630 kJ/150 kcal · 4 g de proteínas · 13 g de grasas · 7 g de hidratos de carbono

Tiempo de preparación: 20 minutos

Corte el tocino en tiras finas. Pele la cebolla y píquela. • Caliente el aceite en una sartén. Añada el tocino y la cebolla y fríalos a fuego moderado mientras remueve, hasta que el tocino quede crujiente. Ponga a enfriar la mezcla de tocino y cebolla en una ensaladera. • Prepare la hierba de los canónigos, lávela a fondo y póngala en la centrifugadora o déjela escurrir bien. • Recorte un poco la raíz de la endibia y extraiga la cuña amarga cortando con un cuchillo puntiagudo a unos 2 cm de profundidad. Ponga en la ensaladera la endibia y la hierba de los canónigos. • Sazone con la sal y la pimienta y vierta por encima el zumo de limón. Mezcle suavemente la ensalada con el tocino y la cebolla. • Lave bajo el chorro del agua el cebollino, córtelo finamente y espárzalo por encima. Sirva la ensalada sin tardanza.

Ensaladas invernales

Con coles originariamente procedentes de China y remolachas rojas de Rusia

Ensalada de col china con queso de oveja

A la izquierda de la foto

1 cebolla de 250 g
4 cucharadas de aceite de oliva
2 ramitas de tomillo fresco o ½ cucharadita de tomillo seco
4-6 cucharadas de vinagre de vino
2 pizcas de sal y pimienta negra recién molida
1 col china de 800 g
200 g de queso de oveja

Económica • Rápida

Por persona aproximadamente 840 kJ/200 kcal · 14 g de proteínas · 11 g de grasas · 9 g de hidratos de carbono

Tiempo de preparación: 30 minutos
Tiempo de reposo: 1 hora

Pele la cebolla, córtela por la mitad y píquela finamente. • Caliente el aceite de oliva en una sartén y fría la cebolla hasta que adquiera un aspecto transparente. Ponga la cebolla con el aceite en una ensaladera. • Lave el tomillo, séquelo, arranque las hojas y píquelas. Mezcle el tomillo, verde o seco, con la cebolla todavía caliente. Añada el vinagre de vino y aliñe la salsa con la sal y la pimienta. • Quite las hojas exteriores estropeadas de la col, lávela, déjela escurrir y córtela en mitades longitudinales. Quite el tronco, divida las mitades en tiras finas y añádalas a los ingredientes preparados; mézclelo todo suavemente. • Corte el queso de oveja en dados pequeños o desmenúzelo y mézclelo con la ensalada. • Tape la ensalada de col y déjela reposar 1 hora como mínimo. • Esta ensalada puede prepararse con mucha antelación, pues se mantiene fresca en el frigorífico de 1 a 2 días.

Ensalada rusa de remolacha

A la derecha de la foto

3 remolachas rojas medianas
3 manzanas grandes ácidas
2 cucharadas de zumo de limón
2 dl de crema de leche
2 cucharadas de raiforte rallado
½ cucharadita de sal, pimienta negra molida de forma gruesa y comino molido

Fácil • Económica

Por persona aproximadamente 1 090 kJ/260 kcal · 3 g de proteínas · 16 g de grasas · 23 g de hidratos de carbono

Tiempo de preparación: 145 minutos.
Tiempo de reposo: 30 minutos

Frote bien las remolachas rojas bajo el agua corriente, cúbralas con agua y póngalas a hervir. Déjelas cocer hora y media a fuego moderado, échelas en un colador, enfríelas bruscamente con agua fría y pélelas. Corte los bulbos en rodajas y luego éstas en dados pequeños. • Pele las manzanas, trocéelas y quíteles el corazón. Corte los trozos en dados pequeños y rocíelos con el zumo de limón para que no se oscurezcan. • Bata la crema de leche hasta que empiece a espesarse y mézclela con el raiforte. Aliñe esta mezcla con la sal, la pimienta y el comino. • Ponga en una fuente las remolachas y las manzanas y mézclelas suavemente con la salsa. • Con esta ensalada, de muy rico contenido, va bien el pan negro tipo «Pumpernickel» con mantequilla salada.

Nuestra sugerencia: En lugar de crema batida puede emplear mitad crema de leche y petit-suisse mezclados.

Ensalada de brécoles con rabanitos

Un acompañamiento en verde y rojo para carnes y pescados

800 g de brécoles
1 cucharadita de sal
2 huevos
1 puerro pequeño
1 tomate fuerte
5-6 rabanitos
1 pimiento enlatado
3 cucharadas de vinagre de vino
1 pizca de sal, pimienta y nuez moscada rallada
½ cucharadita de azúcar
1 cucharadita de mostaza fuerte
6 cucharadas de aceite de oliva
2 cucharadas de cebollino picado
2 cucharadas de perejil picado

Fácil

Por persona aproximadamente 1 000 kJ/240 kcal · 17 g de proteínas · 11 g de grasas · 18 g de hidratos de carbono

Tiempo de preparación: 45 minutos
Tiempo de reposo: 10 minutos

Limpie, lave los brécoles y sepárelos en ramitos. Corte los tallos, pépelos, córtelos en trozos del mismo tamaño y déjelos cocer en agua salada, durante 6 minutos. Ponga los brécoles en un colador, déjelos escurrir y enfriar. • Pinche con una aguja el extremo redondeado de los huevos, sumérjalos en agua hirviendo y déjelos cocer a borbotones 8 minutos con el recipiente destapado. Enfríe rápidamente los huevos, pélelos y déjelos enfriar. • Corte la parte verde oscura del puerro y los extremos de las raíces. Corte por la mitad a lo largo el puerro, lávelo y córtelo en rodajas. • Lave los tomates, córtelos por la mitad y quite pedúnculos y semillas. Córtelos en dados pequeños. • Lave los rabanitos, corte ambos extremos y píquelos en trozos grandes. • Corte el pimiento en dados pequeños. • Mezcle el vinagre de vino con la sal, la pimienta, la nuez moscada, el azúcar, la mostaza y el aceite de oliva para obtener una salsa. Mezcle las verduras preparadas con las hierbas y la salsa. Deje reposar la ensalada 10 minutos. • Corte los huevos en dados pequeños y espárzalos sobre la ensalada.

Sólidas ensaladas con col

Las coles blancas y verdes proporcionan sustanciales acompañamientos

Ensalada de col a la tirolesa

A la izquierda de la foto

750 g de col blanca
1 cucharadita de sal
1 pizca de pimienta blanca recién molida
1 cucharadita escasa de comino
150 g de tocino ahumado entreverado
2 cucharadas de aceite
2-4 cucharadas de vinagre de vino

Económica • Fácil

Por persona aproximadamente 1 300 kJ/310 kcal · 6 g de proteínas · 29 g de grasas · 9 g de hidratos de carbono

Tiempo de preparación: 30 minutos

Quite las hojas exteriores estropeadas de la col, cuartéela y quite el tronco. Lave los trozos, déjelos escurrir y córtelos luego en tiras finas iguales. Coloque las tiras en una fuente, espolvoréelas con sal y estrújelas enérgicamente con ambas manos hasta que se pongan blandas y suaves. Aliñe la col con la pimienta y el comino. • Corte el tocino en tiras y luego en dados muy pequeños. Caliente el aceite en una sartén pequeña; fría el tocino hasta que quede crujiente. Retire la sartén del fuego y vierta el vinagre. Eche la salsa de tocino y vinagre todavía caliente sobre la col y mezcle a fondo la ensalada.

Nuestra sugerencia: En la cocina regional tirolesa la ensalada de col se consume preferentemente como acompañamiento del cochinillo o de las albóndigas.

Ensalada de col rizada

A la derecha de la foto

1 kg de col verde rizada
1 l de agua
1 cucharadita de sal
El zumo de 1 limón
1 pizca de sal, nuez moscada rallada y pimienta negra recién molida
6 cucharadas de aceite de oliva

Económica • Fácil

Por persona aproximadamente 460 kJ/110 kcal · 7 g de proteínas · 5 g de grasas · 11 g de hidratos de carbono

Tiempo de preparación: 45 minutos
Tiempo de reposo: 30 minutos

Quite las hojas exteriores duras de la col. Cuartéela y lávela con agua fría. Ponga a hervir el agua con la sal y cueza en ella la col a fuego lento unos 30 minutos escasos. Deje escurrir bien los trozos de col en un colador y, todavía calientes, córtelos en tiras de dos dedos de ancho. • Mezcle en una ensaladera el zumo de limón con la sal, la nuez moscada y la pimienta recién molida e incorpora el aceite batiendo. Mezcle la verdura todavía caliente con la salsa. Deje reposar la ensalada al menos 3 minutos y déjela luego enfriar.

Nuestra sugerencia: Puede conseguir una ensalada de col rizada aún más atractiva a la vista y al paladar y con más rico contenido añadiendo a la salsa 2 huevos duros cortados en dados pequeños. También tiene buen resultado un poquito de ajo para quienes son aficionados a este sabor.

Ensalada con setas y judías verdes

Acompañamientos sabrosos para todo tipo de platos de carne

Ensalada de champiñones con berros

A la izquierda de la foto

1 manojo de berros
400 g de champiñones pequeños
2 escalonias
1 diente de ajo
4 cucharadas de vinagre balsámico
2 pizcas de sal y pimienta negra recién molida
1 cucharadita de estragón seco
1 pizca de mostaza semifuerte
6 cucharadas de aceite de oliva

Fácil

Por persona aproximadamente 290 kJ/70 kcal · 3 g de proteínas · 4 g de grasas · 5 g de hidratos de carbono

Tiempo de preparación: 20 minutos

Deshoje los berros y tire las hojas grandes y duras. Lave las hojitas tiernas y séquelas bien. • Prepare los champiñones, póngalos en un colador, lávelos a fondo bajo el agua corriente y trocéelos. • Pele las escalonias y el diente de ajo y píquelos finamente. • Mezcle el vinagre, el aceite, la pimienta, el estragón, la mostaza, las escalonias y el ajo picados. Incorpore el aceite de oliva y bata a fondo la salsa con una batidora de varillas. • Vierta la salsa sobre los champiñones y los berros, mezcle bien y sirva la ensalada inmediatamente acompañándola con pan blanco de barra o panecillos.

Nuestra sugerencia: La ensalada puede prepararare también con otras setas, pero en conserva.

Ensalada de judías al raiforte

A la derecha de la foto

500 g de judías
1 cucharadita de sal
3 ramitas de ajedrea
1 cebolla
4 cucharadas de vinagre de hierbas
4 cucharadas de aceite de girasol
1 pizca de sal y pimienta
3 cucharadas de mayonesa (50 % de materia grasa)
1 cucharadita de raiforte rallado
3 cucharadas de crema de leche agria
1 cucharadita de zumo de limón
½ cucharadita de mostaza en polvo

Económica • Fácil

Por persona aproximadamente 630 kJ/150 kcal · 3 g de proteínas · 11 g de grasas · 12 g de hidratos de carbono

Tiempo de preparación: 15 minutos
Tiempo de reposo: 3 ½ horas
Tiempo de elaboración: 10 minutos

Prepare las judías, quite las hebras si es necesario y póngalas a hervir en agua que apenas las cubra con la sal y la ajedrea. • Cuézalas de 10 a 15 minutos, póngalas en un colador, enfríelas bruscamente con agua helada y déjelas escurrir. • Pele la cebolla y córtela en anillos. • Mezcle el vinagre con el aceite y agregue la sal, la pimienta y los anillos de cebolla. Sazone las judías con esta mezcla y déjelas macerar 3 horas. • Bata la mayonesa con la crema agria, el raiforte, el zumo de limón y la mostaza en polvo. Vierta la salsa sobre las judías y déjelas reposar otros 30 minutos.

Exquisitas ensaladas de hortalizas

Variaciones muy estimables si dispone de este tipo de coles

Ensalada de coles de Bruselas con manzana

A la izquierda de la foto

600 g de coles de Bruselas lo más pequeñas posibles

½ l de agua

1 cucharadita de sal

1 manzana grande

2 cucharaditas de zumo de limón

½ plátano maduro

1 pizca de sal y pimienta blanca recién molida

2 cucharadas de crema de leche

1 *petit-suisse*

Un poco de leche

3 hojas de salvia fresca

Económica • Fácil

Por persona aproximadamente 710 kJ/170 kcal · 8 g de proteínas · 6 g de grasas · 21 g de hidratos de carbono

Tiempo de preparación: 35 minutos

Quite las hojas exteriores de la col y recorte los troncos. Lávelas con agua templada y déjelas escurrir. Ponga a hervir el agua con la sal. Ponga las coles en un colador, coloque éste sobre el agua, tápelo y cueza durante 20 minutos al vapor. • Pele mientras tanto la manzana, quítele el corazón, córtela en trozos y luego en dados pequeños. Rocíe éstos con el zumo de limón. • Pele el plátano, aplástelo con un tenedor con la sal y la pimienta y agregue la crema de leche y el *petit-suisse;* en caso necesario, aligere la salsa con un poco de leche. • Lave las hojas de salvia, séquelas y córtelas en tiras. • Deje escurrir las coles y enfríelas. Corte las más grandes en 2 o en 4 partes. • Mezcle las coles de Bruselas con los dados de manzana y la salsa. Antes de servir esparza sobre la ensalada las tiras de salvia.

Ensalada de coliflor y brécoles

A la derecha de la foto

1 ½ cucharaditas de sal

1 coliflor de 500 g

500 g de brécoles

1 rebanada de pan de molde

4 cucharadas de leche

50 g de almendras descascaradas

1 diente de ajo

6 cucharadas de zumo de limón

1 pizca de nuez moscada rallada y pimienta blanca molida

2 cucharadas de aceite de oliva

1 manojo de perejil

Rápida

Por persona 1 090 kJ/260 kcal · 12 g de proteínas · 13 g de grasas · 27 g de hidratos de carbono

Tiempo de preparación: 30 minutos.

Ponga a hervir 2 l de agua con 1 cucharadita de sal. • Prepare la coliflor, sepárela en ramitos y lávela. • Prepare también los brécoles y separe los ramitos de los tallos. • Pele los tallos y córtelos en rodajas. Lave los brécoles. • Hierba en agua salada 5 min. la coliflor. Añada los brécoles y prosiga la cocción 2 min. más. Enfríe las verduras y déjelas escurrir en un colador. • Vierta la leche sobre el pan en un plato. • Reduzca a puré con la batidora las almendras, el pan, la leche y el diente de ajo pelado. Mezcle este puré, en una fuente, con el zumo de limón, 3 cucharadas de agua, ½ cucharadita de sal, la nuez moscada, la pimienta y el aceite hasta obtener una salsa espesa. • Ponga bajo el chorro del agua el perejil, séquelo, píquelo y añádalo a la salsa. • Coloque los ramitos de coliflor y brécoles en 4 platos y sitúe en el centro de cada uno de ellos la cuarta parte de la salsa de la ensalada.

«Coleslaw»

Una interesante ensalada a base de col y zanahorias

1 col blanca de unos 600 g
300 g de zanahorias
50 g de pasas sultanas
1 yema de huevo
½ cucharadita de mostaza semifuerte
4 cucharadas de aceite de girasol
1 cucharada de vinagre de vino blanco
2 pizcas de sal, pimienta negra recién molida y azúcar

Especialidad norteamericana • Fácil

Por persona aproximadamente 960 kJ/230 kcal · 7 g de proteínas · 13 g de grasas · 22 g de hidratos de carbono

Tiempo de preparación: 30 minutos
Tiempo de reposo: 1 hora

Quite las hojas exteriores de la col blanca, divídalo en 4 partes y tire el tronco. Corte cada una de éstas en tiras finas del mismo tamaño. • Pele las zanahorias y córteles los extremos. Lávelas y rállelas. • Lave las pasas sultanas en un colador con agua caliente y déjelas escurrir. • Bata bien la yema de huevo con la mostaza y añada a continuación, con la ayuda de la batidora de varillas o a mano, el aceite, primero gota a gota y después en forma de un hilillo fino hasta obtener una salsa espesa. Agregue el vinagre removiendo y sazone la mayonesa con la sal, la pimienta recién molida y el azúcar (en caso necesario, aligere con un poco de leche o de agua). • Ponga las tiras de col, las zanahorias ralladas, las pasas y la mayonesa en una fuente y mézclelo todo a fondo. • Tape la ensalada y déjela reposar al menos 1 hora.

Nuestra sugerencia: La ensalada «Coleslaw» se consume como acompañamiento de asados poco hechos, también se puede guardar en recipientes herméticos como una excelente ensalada para los *picnis* veraniegos. Es asimismo un detalle de buen gusto en cualquier buffet o cena fría.

Ensalada de patata, un acompañamiento que llena

Especialmente gustosas en verano y buenas para acompañar a carne poco hecha

Ensalada de patatas y pepino

A la izquierda de la foto

800 g de patatas nuevas
½ l de agua
1 cucharadita de sal
600 g de pepino
1 cebolla grande
1-2 cucharadas de zumo de limón
2 pizcas de sal, pimienta blanca recién molida y azúcar moreno
1-2 cucharaditas de jarabe de arce o miel
3 cucharadas de cebollino picado

Económica • Fácil

Por persona aproximadamente 840 kJ/200 kcal · 6 g de proteínas · 1 g de grasas · 42 g de hidratos de carbono

Tiempo de preparación: 40 minutos

Tiempo de reposo: 20 minutos

Lave bien las patatas bajo el grifo y póngalas a cocer cubiertas con agua salada y a fuego moderado unos 25 minutos. • Frote los pepinos con un lienzo, lávelos con agua tibia, séquelos y córtelos en rodajas. • Pele la cebolla y píquela finamente. • Las patatas están en su punto de cocción cuando al pincharlas no ofrecen resistencia. En ese momento saque las patatas del agua, déjelas enfriar un poco, pélelas y córtelas en rodajas. • Mezcle las patatas con la cebolla picada, el pepino, el zumo de limón, la sal, la pimienta, el azúcar moreno y sazone bien. Añada el suficiente jarabe de arce o miel para que la ensalada adquiera un agradable sabor agridulce. • Deje reposar la ensalada, tapada, 20 minutos a temperatura ambiente. Antes de servirla espolvoree sobre ella el cebollino picado.

Ensalada sencilla de patatas

A la derecha de la foto

800 g de patatas nuevas
½ l de agua
1 cucharadita de sal
2 cebollas
3,5 dl de caldo de carne frío
2 cucharadas de vinagre de vino blanco
½ cucharadita de sal
2 pizcas de pimienta blanca recién molida
5 cucharadas de aceite de girasol
2 cucharadas de perejil picado

Económica • Fácil

Por persona aproximadamente 840 kJ/200 kcal · 5 g de proteínas · 4 g de grasas · 35 g de hidratos de carbono

Tiempo de preparación: 40 minutos

Tiempo de reposo: 25 minutos

Lave bien las patatas bajo el chorro del agua y sin pelarlas póngalas a hervir, cubiertas con agua salada y a fuego moderado unos 25 minutos. • Pele las cebollas y píquelas finamente. Las patatas están en su punto de cocción cuando al pincharlas no se encuentra resistencia. Saque entonces las patatas del agua, déjelas enfriar un poco y aún calientes pélelas y córtelas en rodajas. • Mezcle el caldo de carne y el vinagre con las rodajas de patata y sazone la ensalada con sal y pimienta. Añada el aceite a la ensalada y déjela reposar, cubierta y a temperatura ambiente, durante 25 minutos. • Antes de servirla espolvoree por encima el perejil picado.

Ensaladas completas

Hoy una ensalada ha de ser variada, sana,
hecha con ingredientes frescos,
nuevos, mezclados de una manera
atractiva... y con el instinto tan peculiar
de la cocina artesana.

Ensaladas que adornan el menú

Sirva estas ensaladas con carne asada, bovina o de ave

Ensalada Pompadour

A la izquierda de la foto

800 g de patatas nuevas
400 g de apio nabo
½ l de agua
½ cucharadita de sal
400 g de coliflor
5 cucharadas de mayonesa
(50 % de materia grasa)
5 cucharadas de crema de leche
1 cucharada de mostaza suave
1 pizca de sal, pimienta blanca
recién molida y nuez moscada

Elaborada

Por persona aproximadamente
1 300 kJ/310 kcal · 9 g de
proteínas · 11 g de grasas · 45 g
de hidratos de carbono

Tiempo de preparación: 1 hora
Tiempo de reposo: 30 minutos

Lave las patatas y el apio nabo a fondo. • Hierva las patatas en un recipiente cubierto con agua y ½ cucharadita de sal durante 25 minutos. Pele el apio nabo, lávelo otra vez y córtelo en dados. Déjelo hervir tapado y cubierto con agua durante 25 minutos. Lave la coliflor y déjela hervir cubierta con agua y tapada a fuego lento durante 15 minutos. • Tire el agua de la cocción de las patatas, pélelas y córtelas en dados. • Deposite el apio nabo y la coliflor en un escurridor y deje que se enfríen. Mezcle la mayonesa, la crema de leche, la mostaza, la sal, la pimienta y la nuez moscada. • Ponga los dados de patata y apio, así como la coliflor, en una ensaladera, mezcle con la mayonesa y deje reposar, cubierto, durante 30 minutos.

Ensalada italiana

A la derecha de la foto

600 g de patatas nuevas
1 cucharadita de sal
200 g de judías verdes
200 g de guisantes
200 g de zanahorias tiernas
400 g de tomates maduros
pequeños
12 aceitunas negras
4 filetes de anchoa
4 cucharadas de mayonesa
(50 % de materia grasa)
4 cucharadas de yogur
desnatado
2 pizcas de sal, pimienta negra
recién molida y pimentón picante
2 cucharadas de alcaparras
pequeñas

Elaborada

Por persona 1 300 kJ/310 kcal ·
13 g de proteínas · 10 g de grasas ·
53 g de hidratos de carbono

Tiempo de preparación: 1 hora

Lave las patatas y hiérvelas en un recipiente cubierto con ½ l de agua y ½ cucharadita de sal durante 25 minutos. • Prepare y lave las judías, corte las grandes por la mitad y déjelas hervir en poca agua salada y en recipiente cubierto durante 10 minutos. • Lave los guisantes. Pele las zanahorias y los guisantes en agua con ½ cucharadita de sal durante 10 minutos en un recipiente tapado. • Escurra las patatas, pélelas y córtelas en dados. Escurra las judías, los guisantes y las zanahorias en un colador. • Pele los tomates, retire el pedúnculo y córtelos en dados. Conserve el zumo y las semillas. • Mezcle las aceitunas con la verdura. • Pique los filetes de anchoa en daditos. Mezcle la mayonesa con el yogur, las especias, las anchoas y el zumo de tomate. Incorpore la salsa a la ensalada, remueva y esparza por encima las alcaparras.

Patatas, patatas...

Lo más adecuado para «picnics» y fiestas en el jardín

Ensalada de patatas al hinojo

A la izquierda de la foto

1 kg de patatas nuevas
1 hinojo
1 manzana ácida
150 g de jamón ahumado en lonchas
4 cucharadas de mayonesa (50 % de materia grasa)
2 dl de crema de leche agria
1 pizca de sal y pimienta negra recién molida
1 cucharada de vinagre de vino tinto
1 puñado de hierbas variadas, como perifollo, cebollino y salvia
1 cebolla pequeña

Económica • Fácil

Por persona aproximadamente 2 520 kJ/600 kcal · 15 g de proteínas · 35 g de grasas · 57 g de hidratos de carbono

Tiempo de preparación: 40 minutos

Enjuague las patatas con agua corriente. Póngalas en un recipiente, cúbralas con agua y cuézalas de 25 a 30 minutos. • Retire los hilos del hinojo, lávelo, cuartéelo y córtelo en tiras finas. Reserve las hojitas verdes. • Corte la manzana, pélela, quítele el corazón y trocéela. • Corte el jamón en tiras. • Mezcle la mayonesa con la crema agria, la sal, la pimienta y el vinagre. Lave las hierbas, sacúdalas y píquelas finamente. Pele la cebolla, rállela y mézclela con las hierbas picadas y la salsa. • Escurra las patatas, déjelas enfriar un rato, móndelas y córtelas en rodajas. Mezcle las patatas con las tiras de hinojo, los dados de manzana y el jamón. Aliñe la ensalada con la salsa.

Nuestra sugerencia: Puede sustituir el jamón ahumado por jamón dulce o canario.

Ensalada de patatas con rabanitos

A la derecha de la foto

800 g de patatas nuevas
½ l de agua
½ cucharadita de sal
1 pepino
2 manojos de rabanitos
1 cebolla
4 cucharadas de vinagre de hierbas
2 pizcas de sal y pimienta negra recién molida
1 cucharadita de mostaza
1 pizca de azúcar
6 cucharadas de aceite de girasol
4 huevos duros

Fácil • Económica

Por persona aproximadamente 1 590 kJ/380 kcal · 19 g de proteínas · 16 g de grasas · 42 g de hidratos de carbono

Tiempo de preparación: 40 minutos
Tiempo de reposo: 1 hora

Lave las patatas bajo el grifo del agua fría y hiérvalas en el agua salada de 20 a 25 minutos. • Lave el pepino, séquelo, pélelo y córtelo en dados pequeños. • Lave los rabanitos, séquelos, córteles los extremos y cuartéelos. • Pele la cebolla, píquela finamente y mézclela con el vinagre, la sal, la pimienta, la mostaza, el azúcar y el aceite. • Escurra las patatas, déjelas enfriar, pélelas y córtelas en rodajas. • Agregue a la salsa las rodajas de patata, los dados de pepino y los trozos de rabanito. Mezcle la ensalada y déjela reposar 1 hora. • Coloque la ensalada en una fuente. Pele los huevos. Córtelos en octavos y distribúyalos sobre la ensalada.

Las patatas en la cocina integral

Estas ensaladas saben mejor con pan moreno

Ensalada de patatas con remolacha

A la izquierda de la foto

250 g de remolacha
375 g de patatas nuevas
250 g de manzanas ácidas
150 g de pepinillos en vinagre
2 cucharaditas de cubito de caldo de verduras
2 cucharadas de mostaza semifuerte
1 pizca de pimienta negra recién molida
2 cucharadas de aceite de cártamo
1 manojo de berros

Receta integral • Económica

Por persona aproximadamente 800 kJ/190 kcal · 4 g de proteínas · 5 g de grasas · 34 g de hidratos de carbono

Tiempo de preparación: 70 min.
Tiempo de reposo: 10 minutos

Lave las remolachas (si lo desea puede cortar el tallo a 2 cm del bulbo) y déjelas cocer cubiertas con agua en una cacerola 15 min. • Lave bien las patatas bajo el agua corriente y únalas a las remolachas. Cueza todo de 20 a 30 min. Tire el agua de cocción. Enfríe las hortalizas con agua fría y déjelas reposar un poco. Pele las remolachas y las patatas. Corte en dados pequeños la remolacha y la patata en otros algo mayores. • Lave la manzana, cuartéela, quítele el corazón y córtelo en dados. • Corte los pepinillos en daditos. Pele la cebolla y píquela. Hierva ⅛ l de agua, disuelva en él el cubito del caldo de verdura y mezcle el caldo caliente en un plato con los ingredientes ya preparados. • Bata el vinagre con la mostaza, la pimienta y el aceite e incorpórelo a la ensalada. Deje reposar la ensalada 10 minutos. • Corte los berros. Lávelos, escúrralos y mézclelos con la ensalada.

Ensalada de patatas con trigo sarraceno

A la derecha de la foto

375 g de patatas nuevas
2 cucharaditas de aceite, caldo de verduras de cubito y mejorana seca
1 hoja de laurel
75 g de trigo sarraceno
75 g de lentejas
150 g de guisantes
3 escalonias
1 dl de crema de leche agria
2 cucharaditas de aceite de oliva
2 de vinagre de estragón
1 cucharadita de sal
1 pizca de pimienta negra recién molida
2 tomates
2 cucharadas de cebollino picado

Receta integral • Elaborada

Por persona aproximadamente 1 510 kJ/360 kcal · 13 g de proteínas · 13 g de grasas · 49 g de hidratos de carbono

Tiempo de preparación: 50 minutos
Tiempo de reposo: 10 minutos

Lave las patatas bajo el agua corriente. Hiérvalas sin pelar con poca agua, enfríelas y córtelas en pedazos grandes. • Mientras tanto, ponga a cocer ¾ l de agua con 2 cucharadas de aceite, el caldo de verduras de cubito, la mejorana y el laurel. Mezcle el trigo sarraceno y las lentejas y cuézalo todo 10 minutos. Añada los guisantes y deje cocer 10 minutos más. Ponga a escurrir estos ingredientes y retire la hoja de laurel. Pele las escalonias y córtelas en rodajas finas. • Bata la crema agria con el aceite, el vinagre, la sal, la pimienta y la mejorana restante y mézclelo todo con los ingredientes preparados. • Lave los tomates, córtelos en gajos y mézclelos con la ensalada y el cebollino. Deje reposar 10 minutos.

Ensalada de berza y germen de soja

La berza es una sabrosa hortaliza invernal

100 g de judías de soja amarillas
1 cucharadita de cubito de caldo de verduras
2 hojas de laurel
500 g de berza
150 g de gérmenes de soja
1 cebolla roja
3 cucharadas de aceite de cártamo y vinagre de vino tinto
2 cucharadas de salsa de soja
1-2 pizcas de pimienta negra recién molida

Receta integral • Elaborada

Por persona aproximadamente
1 000 kJ/240 kcal · 18 g de
proteínas · 10 g de grasas · 18 g
de hidratos de carbono

Tiempo de remojo: 12 horas
Tiempo de preparación: 2 horas
Tiempo de reposo: 10 minutos

Ponga a remojar las judías de soja durante la noche en ½ l de agua fresca. Cuézalas al día siguiente en ½ l de agua fría con cubitos y el laurel no más de 2 horas, déjelas escurrir y retire el laurel. • Mientras tanto, lave la berza a fondo, quite el tronco y los tallos duros y blanquee las hojas en agua hirviendo 10 minutos escasos. Colóquelas en un escurridor, déjelas enfriar un poco y a continuación córtelas en trozos grandes. • Lave los gérmenes de soja, blanquéelos 5 minutos en agua hirviendo y déjelos escurrir. • Pele las cebollas, divídalas en dos mitades longitudinalmente y córtelas transversalmente en rodajas finas. • Mezcle a fondo las judías escurridas todavía calientes y la berza en una fuente con el aceite, el vinagre, la salsa de soja y la cebolla; sazone con la pimienta. • Deje reposar la ensalada 10 minutos. • Esta ensalada alcanza su mejor punto de sabor mientras permanece ligeramente caliente y acompañada de patatas fritas crujientes, por ejemplo.

Ensalada de pasta y verduras

Cuando tenga muchos invitados, la ensalada se puede duplicar en seguida

Ingredientes para 6 personas:

250 g de pasta en forma de coditos
1 cucharadita de sal
2 ½ l de agua
250 g de zanahorias
250 g de judías verdes
3 pizcas de sal · 3 tomates
300 g de guisantes congelados
2 calabacines pequeños
3 cucharadas de mayonesa (50 % de materia grasa)
2 dl de crema de leche
3 cucharadas de vinagre de frutas · 1 cucharadita de sal
½ cucharadita de pimienta fresca
1 pizca de azúcar
1 manojo de perejil
1 manojo de cebollino

Económica • Fácil

Por persona 1 380 kJ/330 kcal · 14 g de proteínas · 8 g de grasas · 52 g de hidratos de carbono

Tiempo de preparación: 45 min.
Tiempo de reposo: 30 minutos

Cueza la pasta «al dente» en agua salada hirviendo a borbotones de 8 a 10 min. Escúrrala y enfríela. • Lave las zanahorias, pélelas y córtelas en dados. • Prepare las judías, lávelas, córtelas en trocitos y hiérvalas con las zanahorias en agua salada y a fuego lento durante 15 min. • Lave los tomates, séquelos y córtelos en octavos tras retirar el pedúnculo. • Hierva los guisantes en una taza de agua con una pizca de sal 5 minutos. • Prepare los calabacines, lávelos, séquelos y córtelos en rodajas. • Mezcle la mayonesa con la crema agria, el vinagre, la sal, la pimienta y el azúcar. Lave el perejil y los cebollinos y sacúdales el agua. Pique finamente el perejil y mézclelo con la mayonesa. • Escurra las verduras hervidas y déjelas enfriar un poco, mézclelas después con la pasta, los gajos de tomate y las rodajas de calabacín. Aliñe la ensalada con la salsa. • Corte finamente los cebollinos y espolvoréelos sobre la ensalada. Deje reposar la ensalada tapada 30 minutos.

Ensalada de lechuga con atún

Para cuando tenga una visita inesperada

4 huevos
250 g de cebolla tierna
2 pizcas de sal
2 lechugas arrepolladas
1 ½ cucharadas de vinagre
1 cucharadita de mostaza semifuerte
1 pizca de pimienta blanca recién molida
6 cucharadas de aceite de oliva
2 hojas de borraja
1 ramita de estragón
1 ramillete de perejil y pimpinela

Económica • Fácil

Por persona aproximadamente 1 800 kJ/430 kcal · 32 g de proteínas · 27 g de grasas · 10 g de hidratos de carbono

Tiempo de preparación: 20 minutos

Cueza los huevos en agua hirviendo durante 8 minutos, sáquelos, refrésquelos con agua fría y pélelos. • Pele las cebollas tiernas y córtelas en rodajas finas. Coloque las rodajas en una ensaladera y espolvoréelas con sal. • Prepare la lechuga, lávela y córtela en trozos pequeños. Sacúdalos y escúrralos bien. • Ponga el atún a escurrir. • Mezcle bien en una fuente la mostaza, el vinagre, la pimienta y el aceite. • Lave bajo el grifo del agua la borraja, el estragón, el perejil y la pimpinela; sacúdalos. Elimine los tallos duros y píquelo todo. Mezcle la mitad de las hierbas con la salsa. • Corte el atún en trozos y corte los huevos en octavos. Únalos a los anillos de cebolla y a la salsa. Añada la lechuga y el resto de las hierbas. • Remueva y mezcle la ensalada una vez en la mesa. • Resulta muy apropiado acompañarla con pan de barra blanco crujiente.

Ensalada griega

Una comida para las cálidas noches de verano

2 tomates
1 pepino pequeño
1 pimiento verde
200 g de queso fresco de oveja
1 cebolla roja
1 diente de ajo
3 cucharadas de vinagre de vino tinto
1 pizca de mostaza en polvo
½ cucharadita de sal y pimienta negra molida gruesa
½ cucharadita de orégano seco
3 cucharadas de aceite de oliva virgen
50 g de aceitunas negras

Rápida • Fácil

Por persona aproximadamente 920 kJ/220 kcal · 9 g de proteínas · 15 g de grasas · 12 g de hidratos de carbono

Tiempo de preparación: 20 minutos

Lave los tomates, séquelos y córtelos en octavos. Corte los extremos del pepino y luego córtelo en rodajas no demasiado finas. • Corte por la mitad el pimiento, retire el pedúnculo, membranas y semillas, y córtelo en tiras. • Desmenuce el queso de oveja. • Pele las cebollas, córtelas en rodajas finas y añádalas al queso, las tiras de pimiento, las rodajas de pepino y los octavos de tomate; mézclelo todo en una ensaladera. • Pele los dientes de ajo, prénselo y mézclelo con el vinagre, la mostaza en polvo, la sal, la pimienta y el orégano. • Vierta la salsa sobre la ensalada y sírvala con las aceitunas por encima. • Acompañe con el pan de ajo y vino tinto.

Ensalada de pimientos y tomates con rosbif

Una ensalada de verano exuberante y polícroma

500 g de pimientos verdes
500 g de tomates
1 manojo de cebollas tiernas
200 g de rosbif asado en lonchas
2 huevos duros
3 cucharadas de vinagre de vino tinto
½ cucharadita de sal, pimienta negra molida gruesa y pimentón dulce
1 cucharadita de mostaza fuerte
3 cucharadas de aceites de semillas
½ manojo de perejil

Rápida • Fácil

Por persona aproximadamente
1 210 kJ/290 kcal · 21 g de
proteínas · 16 g de grasas · 14 g
de hidratos de carbono

Tiempo de preparación: 30
minutos

Corte por la mitad los pimientos, elimine pedúnculos, membranas y semillas y córtelos en tiras. Lave los tomates, séquelos, córtelos en rodajas y retire los pedúnculos. • Prepare las cebollas tiernas, lávelas y córtejas en rodajas. • Corte el rosbif en tiras. • Pele los huevos y córtelos en rodajas. • Mezcle todos los ingredientes de la ensalada, ya preparados, en una fuente. • Bata el vinagre, la sal, la pimienta, el pimentón, la mostaza y el aceite. Aliñe la ensalada con esta salsa. • Lave el perejil, sacúdalo, corte los tallos gruesos, píquelo y espolvoréelo sobre la ensalada. Deje reposar la ensalada y manténgala tapada hasta el momento de servirla. Resulta apropiado acompañarla con panecillos de centeno y mantequilla.

Nuestra sugerencia: Esta ensalada adquiere un colorido especial con pimientos amarillos.

Ensaladas de verduras con huevos

Si es tiempo de espárragos y de guisantes, disfrútelos al máximo

Ensalada de espárragos con jamón ahumado

A la izquierda de la foto

1 kg de espárragos verdes
1 cucharadita de sal
2 huevos
200 g de jamón ahumado
3 cucharadas de crema de leche
2 cucharadas de *petit-suisse*
2 cucharadas de zumo de pomelo recién exprimido
1 pizca de sal, pimienta blanca y azúcar
2 cucharadas de cebollino picado

Coste medio

Por persona aproximadamente 1 800 kJ/430 kcal · 21 g de proteínas · 32 g de grasas · 12 g de hidratos de carbono

Tiempo de preparación: 40 min.

Lave los espárragos, escúrralos y si es necesario pele los tallos y corte los extremos duros. Córtelos en trozos de 5 cm y deje aparte las yemas. Cueza los espárragos troceados, cubiertos con agua salada 15 min. a fuego lento y en recipiente tapado. Tras 8 min. de cocción añada las yemas de los espárragos. • Pinche los huevos por el extremo redondeado con una aguja, sumérjalos en agua hirviendo y déjelos cocer 8 min. a borbotones. Refrésquelos, deje que se enfríen, pélelos y córtelos en octavos. • Retire las vetas de grasa del jamón y corte las lonchas en tiras de 1 cm de ancho. • Escurra los espárragos, pero conserve 1 cucharada del agua de cocción. • Mezcle la crema y el *petit-suisse* con el agua de la cocción, el zumo de pomelo, la sal, la pimienta y el azúcar. • Disponga los espárragos, los trozos de huevo y el jamón en una ensaladera; aliñe con la salsa y esparza el cebollino.

Ensalada de huevos y guisantes

A la derecha de la foto

800 g de guisantes
½ cucharadita de sal
1 taza de agua · 4 huevos duros
1 lechuga arrepollada pequeña
4 cucharadas de requesón desnatado
2 cucharadas de mayonesa
1 cucharada de vinagre de vino blanco
2 cucharadas de aceite de nueces
2 pizcas de sal, pimienta blanca recién molida y azúcar
1 manojo de eneldo

Coste medio

Por persona 1 390 kJ/330 kcal 23 g de proteínas · 19 g de grasas · 18 g de hidratos de carbono

Tiempo de preparación: 30 min.

Lave los guisantes, póngalos en un cazo con la sal y el agua y déjelos cocer al vapor con poco calor y tapados durante 15 minutos. • Pele los huevos y córtelos en octavos. • Retire de la lechuga las hojas exteriores estropeadas, separe las restantes, lávelas varias veces, sacúdalas y séquelas. Córtelas después en tiras. • Escurra los guisantes hervidos en un colador, pero guarde 3 cucharadas del agua de la cocción. • Bata el requesón con la mayonesa, el vinagre, el aceite, la sal, la pimienta, el azúcar y el agua de los guisantes para obtener una salsa algo espesa. Mezcle los guisantes y las tiras de lechuga con la salsa. • Coloque los huevos sobre la ensalada. Lave el eneldo, sacuda las gotas, retire los tallos duros, corte en trocitos pequeños las puntas y espárzalas después sobre la ensalada.

Seductoras combinaciones para sus invitados

Muy adecuadas para obsequiar a sus amigos

Ensalada Alejandro Dumas

A la izquierda de la foto

400 g de patatas, preferentemente nuevas
2 huevos
200 g de remolacha agridulce en conserva
100 g de hierba de los canónigos
1 pepinillo grande en vinagre
4 sardinas en aceite desespinadas
1 cucharada de vinagre de vino tinto
3 cucharadas de vino tinto seco
1 pizca de sal y azúcar
4 cucharaditas de aceite de oliva

Receta clásica

Por persona aproximadamente
1 000 kJ/240 kcal · 13 g de
proteínas · 11 g de grasas · 23 g
de hidratos de carbono

Tiempo de preparación: 40
minutos

Lave las patatas a fondo bajo el chorro del agua, cuézalas cubiertas de agua durante 30 minutos aproximadamente. • Hierva los huevos 8 minutos, lávelos con agua fría, pélelos y deje que se enfríen. • Escurra la remolacha y córtela en tiras del mismo tamaño. • Corte las bases de la hierba de los canónigos, lave varias veces las hojas, escúrralas y séquelas. Lave los pepinillos, séquelos y córtelos en tiritas. • Deje escurrir las sardinas en aceite y córtelas en trozos de aproximadamente 3 cm. Tire el agua de la cocción de las patatas, deje que se enfríen, pélelas y córtelas en dados. • Corte los huevos en rodajas. Ponga todos los ingredientes de la ensalada repartidos en montoncitos en una ensaladera. • Mezcle el vinagre con el vino tinto, la sal y el azúcar y añada el aceite de oliva con una batidora de varillas. Vierta la salsa regularmente sobre la ensalada.

Ensalada de aguacates con berros

A la derecha de la foto

2 huevos
1 manojo de berros
3 aguacates
15 aceitunas negras
4 filetes de anchoas
125 g de queso crema
1,2 dl de leche
1 cucharada de aceite de oliva
1 cebolla pequeña
1 buena pizca de sal y pimienta negra recién molida

Coste medio

Por persona aproximadamente
2 730 kJ/650 kcal · 17 g de
proteínas · 58 g de grasas · 10 g
de hidratos de carbono

Tiempo de preparación: 25
minutos

Pinche los huevos con una aguja en el extremo redondeado, sumérjalos en agua hirviendo y déjelos cocer 8 minutos a borbotones; refrésquelos, pélelos y deje que se enfríen. • Lave los berros y deje que se escurran. Pele los aguacates, córtelos por la mitad y quíteles el hueso. Corte las mitades en dados de aproximadamente 3 cm. Deshuese las aceitunas y córtelas por la mitad. • Corte los filetes de anchoas en daditos pequeños. • Mezcle el queso crema, la lechuga y el aceite con la batidora de varillas hasta que la mezcla espese. • Pele la cebolla y rállela. Mezcle los dados de anchoa, la cebolla rallada, la sal y la pimienta con la salsa. • Corte los huevos en gajos. Mezcle los dados de aguacate, con las aceitunas y la salsa. Sirva la ensalada espolvoreada con las hojitas de berro y los gajos de huevo.

Ensalada con judías verdes

Mantienen la tradición y admiten muchas combinaciones

Ensalada de judías verdes con mozzarella

A la izquierda de la foto

| 600 g de judías verdes |
| 2 ramitas de ajedrea |
| 1 cucharadita de sal |
| 200 g de queso mozzarella |
| 6 filetes de anchoa |
| 2 cucharadas de vinagre balsámico |
| 2 pizcas de sal y pimienta negra recién molida |
| 5 cucharadas de aceite de oliva |

Rápida • Coste medio

Por persona aproximadamente 760 kJ/180 kcal · 11 g de proteínas · 11 g de grasas · 9 g de hidratos de carbono

Tiempo de preparación: 45 minutos

Lave las judías verdes, quíteles las hebras y hiérvalas cubiertas con agua salada y la ajedrea 10 min. Escúrralas y deje que se enfríen. Corte la mozzarella en daditos pequeños. • Corte los filetes de anchoa en trocitos finos. • Ponga en un cuenco el vinagre, la sal y la pimienta, los trocitos de anchoa y el aceite de oliva y bata hasta lograr una salsa homogénea. • Coloque las judías frías y los dados de queso en una fuente. Rocíelos con la salsa y mezcle bien todos los ingredientes.

Nuestra sugerencia: La mozzarella es un queso italiano de la Campania; en un principio se fabricaba sólo con leche de búfala. Hoy, en realidad, el producto que se ofrece con este nombre es una mezcla de leche de búfala y vaca o sólo ésta. Pero la mozzarella de leche de búfala es la mejor. Si puede conseguirla, merece la pena que pruebe esta receta.

Ensalada de judías y tomates

A la derecha de la foto

| 500 g de judías verdes |
| 1 manojo de ajedrea fresca |
| 1 cucharadita de sal |
| 1 cebolla |
| 400 g de tomates maduros pequeños |
| 2 cucharadas de vinagre de vino blanco |
| 2 pizcas de sal y pimienta negra recién molida |
| 1 pizca de pimentón picante |
| 1 cucharada de aceite de girasol |
| 50 g de tocino ahumado |
| 2 cucharadas de perejil picado |

Receta clásica

Por persona aproximadamente 670 kJ/160 kcal · 7 g de proteínas · 7 g de grasas · 17 g de hidratos de carbono

Tiempo de preparación: 40 minutos

Lave las judías, quíteles las hebras y corte por la mitad las grandes. Póngalas a hervir cubiertas de agua con la ajedrea y sal durante 15 minutos a fuego lento. • Pele las cebollas y córtelas en daditos pequeños. • Lave los tomates, séquelos, retire los pedúnculos y córtelos en gajos. • Escurra las judías y déjelas enfriar. • Bata el vinagre con la sal, la pimienta, el pimentón y el aceite. Mezcle las judías, la cebolla y los gajos de tomate con la salsa y déjelo reposar todo en un recipiente tapado. • Corte el tocino en trocitos, dórelos en la sartén y añádalos a la ensalada. Antes de servirla espolvoréela con el perejil picado.

Ensaladas atrevidas con frutas

Combinaciones particularmente refrescantes y bajas en calorías

Ensalada de queso con frutas

A la izquierda de la foto

2 manzanas rojas ácidas (300 g)
150 g de pepinillos en vinagre
150 g de queso gouda semiseco
1 escalonia
2 cucharaditas de mayonesa (50 % de materia grasa)
2 cucharadas de vinagre de manzana
2 cucharadas de aceite de girasol
1 cucharadita de sal de hierbas
½ cucharadita de curry en polvo y queso rallado
1 pizca de pimienta blanca recién molida · 100 g de requesón
2 naranjas sin pepitas
1 cucharada de cebollino picado

Receta integral • Fácil

Por persona 1 150 kJ/360 kcal · 16 g de proteínas · 23 g de grasas · 21 g de hidratos de carbono

Tiempo de preparación: 30 minutos

Lave las manzanas, cuartéelas, quíteles el corazón y córtelas en dados. • Corte en trocitos los pepinillos y el queso de gouda; pele la escalonia y píquela también. • Bata bien la mayonesa con el vinagre, el aceite, la sal, el curry, el queso rallado y la pimienta. Mezcle los ingredientes ya preparados en una fuente con el requesón y la salsa. • Pele las naranjas y separe los gajos. Adorne con éstos y el cebollino la ensalada.

Ensalada de calabacines con jamón ahumado

A la derecha de la foto

400 g de calabacines
200 g de endibias
300 g de piña fresca
1 clementina
200 g de jamón ahumado en lonchas
3 cucharadas de requesón desnatado
3 cucharadas de queso crema
1 cucharada de vinagre de manzana
1 cucharadita de zumo de naranja
2 cucharaditas de jarabe de arce o miel
1 pizca de sal, pimienta blanca recién molida y pimentón dulce
½ manojo de berros

Coste medio

Por persona 1 390 kJ/330 kcal · 13 g de proteínas · 20 g. de grasas · 22 g de hidratos de carbono

Tiempo de preparación: 35 min.

Limpie bien los calabacines con un lienzo, lávelos con agua tibia y séquelos. Córtelos después en rodajas y trocéelas. • Quite las hojas exteriores extropeadas de las endibias, lave el resto, séquelo y con un cuchillo puntiagudo extraiga la cuña amarga de la base. Corte las endibias en tiras no demasiadas gruesas. • Retire la corteza de la piña, corte en redondo el centro leñoso y sepárelo. Corte la piña en rajas pequeñas regulares. • Pele la clementina, divídala en gajos y parta éstos por la mitad. • Quite la grasa del jamón y corte las lonchas en dados. • Mezcle cuidadosamente los ingredientes de la ensalada en una fuente. • Bata el requesón crema, el vinagre de manzana, el zumo de limón, el jarabe de arce, la sal, la pimienta y el pimentón con una batidora de varillas. Añádale un poco de agua para que la salsa no quede demasiado espesa y mézclela con la ensalada cuidadosamente. • Corte los berros, lávelos y espárzalos sobre la ensalada.

Ensalada del chef

Una receta clásica muy fácil de preparar

1 cucharada de aceite
250 g de lonchas de pavo
1 pizca de sal y pimienta blanca recién molida
4 huevos
1 lechuga arrepollada
200 g de endibia roja de Verona
1,5 dl de crema de leche agria
3 cucharadas de mayonesa (50 % de materia grasa)
1-2 cucharadas de ketchup
1 cucharadita de mostaza semifuerte
1 cucharada de zumo de limón
1 pizca de azúcar
1 cebolla pequeña
125 g de queso edam
125 g de jamón dulce

Receta clásica

Por persona aproximadamente
2 180 kJ/520 kcal · 45 g de
proteínas · 34 g de grasas · 8 g
de hidratos de carbono

Tiempo de preparación: 30
minutos

Caliente el aceite en una sartén. Agregue las lonchas de pavo, lavadas y previamente secadas, y dórelas a fuego moderado 5 minutos. Sazone la carne con la sal y la pimienta, retírela de la sartén y deje que se enfríe. • Cueza los huevos en agua hirviendo 8 minutos, retírelos del agua, pélelos y deje que se enfríen. • Prepare la endibia roja y la lechuga, lávelas y séquelas. • Mezcle la crema agria con la mayonesa, el ketchup, la mostaza, el zumo de limón y el azúcar. Pele la cebolla, córtela por la mitad y redúzcala a puré con la ayuda del prensaajos. • Retire la corteza al queso y córtelo en tiras de 3 cm de largo. Corte el jamón en tiras de igual longitud. Corte los huevos en rodajas y la pechuga en lonchas. • Tapice una fuente grande o 4 platos con las hojas de lechuga y endibia roja. Coloque la carne de pavo, el jamón, el queso y los huevos de forma decorativa. Vierta la salsa sobre la ensalada o resérvela para servirla en salsera.

Ensalada de lechuga hoja de roble con higadillos

Rica en proteínas, refrescante y sabrosa

1 lechuga hoja de roble
400 g de higadillos de ave
2 cucharadas de grasa de coco o manteca
½ cucharadita de sal
1 pizca de pimienta blanca recién molida
1 diente de ajo pequeño
1 pizca de sal
1 cucharada de vinagre de manzana
2 cucharadas de aceite de girasol
2 cucharadas de perejil recién picado

Económica

Por persona aproximadamente 970 kJ/230 kcal · 23 g de proteínas · 14 g de grasas · 4 g de hidratos de carbono

Tiempo de preparación: 40 minutos

Separe una a una todas las hojas de la lechuga hoja de roble, lávelas varias veces en un recipiente con agua y séquelas sacudiéndolas. Lave los higadillos de ave y séquelos, quíteles las membranas grasas y separe los lóbulos. • Caliente la grasa de coco o la maneca en una sartén y dore en ella los higadillos uniformemente, dándoles la vuelta regularmente; esta operación debe durar 2 minutos aproximadamente. Sazone los higadillos de ave con la sal y la pimienta. • Pele los dientes de ajo, májelos y mézclelos con la sal, el vinagre y el aceite. • Corte la lechuga en trozos de unos 4 cm y mézclelos con la salsa. Reparta por encima de la ensalada los higadillos fritos. Antes de servir espolvoree la ensalada con el perejil picado.

Nuestra sugerencia: Si no dispone de lechuga hoja de roble, puede acompañar los higadillos fritos con lechuga común, iceberg o hierba de los canónigos.

Ensalada Carpaccio

Inspiradas en los finísimos filetes del famoso plato italiano

Carpaccio de pollo

A la izquierda de la foto

2 filetes de pechuga de pollo pelados y deshuesados
½ cucharadita de anís
1 trocito de jengibre
½ cucharadita de sal
1 corazón de apio · 1 manzana
1 pimiento rojo pequeño
4 rodajas de piña fresca
2 cucharadas de aceite de semillas
Sal y pimienta blanca
El zumo de 1 limón
1 dl de crema de leche
1 *petit-suisse* grande · 4 kiwis
4 hojas bonitas de endibia roja de Verona

Fácil

Por persona 1 800 kJ/430 kcal · 27 g de proteínas · 22 g de grasas · 32 g de hidratos de carbono

Tiempo de preparación: 45 min.

Lave los filetes de pechuga de pollo y séquelos. • Machaque el anís, ralle ½ cucharadita de jengibre y mezcle ambos con la sal. • Unte los filetes de pollo con esta mezcla y déjelos aparte. • Lave el apio. Pele la manzana y quítele el corazón. Corte por la mitad el pimiento, retire el pedúnculo, membranas y semillas. Quite la corteza de las rodajas de piña. Corte los ingredientes de la ensalada en pequeños trozos y mézclelos. • Caliente el aceite y fría los filetes de pollo 3 min.; salpiméntelos por ambos lados. • Mezcle el zumo de limón con 1 pizca de sal y pimienta, el jengibre, la crema y el *petit-suisse*. • Pele los kiwis y córtelos en rodajas. • Lave las hojas de endibia, póngalas en un plato y añádales el resto de la ensalada. • Corte los filetes en finas lonchas en sentido oblicuo y agréguelos a la ensalada junto con las rodajas de kiwi.

Carpaccio de escórpora

A la derecha de la foto

250 g de filetes de escórpora
Unas ramitas de estragón
2 cucharaditas de pimienta verde
150 g de tomates cereza
150 g de champiñones
2 cucharadas de vinagre al estragón · 2 escalonias
1 cucharadita de mostaza al estragón · 1 pepino pequeño
3 cucharadas de aceite de pepitas de uva
1 pizca generosa de azúcar, sal y pimienta blanca recién molida
Unas hojas de lechuga

Coste medio

Por persona 500 kJ/120 kcal · 12 g de proteínas · 5 g de grasas · 7 g de hidratos de carbono

Tiempo de preparación: 15 min.

Tiempo de reposo: 1 hora
Tiempo de elaboración: 30 min.

Lave el filete de pescado y séquelo. • Lave el estragón, séquelo y píquelo. • Machaque la pimienta verde. • Frote el filete de pescado con el estragón y la pimienta, envuélvalo en papel de aluminio y póngalo en un congelador durante 1 hora. • Pele los tomates. • Pele el pepino, córtelo por la mitad y retire las semillas. Saque bolitas del pepino con el vaciador. • Pele las escalonias y píquelas. Prepare los champiñones, lávelos y córtelos en lonchitas. • Mezcle el vinagre con la mostaza y el aceite y añádalo a las hortalizas. Aliñe la ensalada con el azúcar, la sal y la pimienta. • Lave las hojas de lechuga, séquelas y repártalas en una fuente. • Corte los filetes de pescado en lonchas muy finas, póngalas en la fuente y sálelas ligeramente. Disponga los ingredientes ya mezclados sobre las hojas de lechuga.

Ensaladas con cereales y legumbres

Llevan tiempo, pero son muy sanas

Ensalada de garbanzos

A la izquierda de la foto

---

200 g de garbanzos
1 hoja pequeña de laurel
1 col de unos 500 g
1 cucharadita de sal
1 zanahoria de unos 100 g
2 cucharadas de cubito de caldo de verduras · 1 cebolla roja
2 cucharadas de zumo de limón
1 cucharada de aceite de cártamo
1 pizca de nuez moscada y rallada y pimienta negra
2 cucharadas de perejil recién picado · 2 dl de crema de leche

---

Recéta integral · Económica

Por persona 1 220 kJ/290 kcal · 9 g de proteínas · 21 g de grasas · 18 g de hidratos de carbono

Tiempo de remojo: 12 horas

Tiempo de preparación: 1 hora

Ponga los garbanzos a remojar en ½ l de agua durante toda la noche. • Cueza los garbanzos en el agua del remojo con la hoja de laurel 45 min. Escúrralos y retire la hoja de laurel. • Quite las hojas exteriores de la col y córtela en 4 trozos. Quite el tronco y corte los cuartos en tiras finas. Blanquéelas en agua salada hirviente 2 minutos y déjelas escurrir. Raspe la zanahoria, lávela y rállela no muy fina. • Pele la cebolla, córtela por la mitad a lo largo y luego en rodajas finas transversalmente. Disuelva el caldo de verdura en 2 cucharadas de agua hirviente, mézclelo con el zumo de limón, el aceite, la nuez moscada y la pimienta y vierta sobre los ingredientes de la ensalada. • Déjela reposar un tiempo. • Bata ligeramente la crema de leche y viértala sobre la ensalada junto con el perejil.

Ensalada de avena con aliño al roquefort

A la derecha de la foto

¾ l de agua
1 cucharadita de sal marina
½ cucharadita de jengibre molido y romero seco
150 g de avena descascarillada
1 pepino de unos 500 g
350 g de mango maduro
50 g de queso roquefort
2 cucharadas de aceite de oliva
2 cucharadas de vinagre de jerez
3-4 cucharadas de crema de leche
1 pizca de pimienta negra
2 cucharadas de eneldo
2 cucharadas de cebollino recién picado
75-100 g de anacardos

Receta integral

Por persona aproximadamente

1 890 kJ/450 kcal · 14 g de proteínas · 24 g de grasas · 48 g de hidratos de carbono

Tiempo de preparación: 50 min.
Tiempo de reposo: 10 min.

Haga hervir el agua con la sal, el jengibre y el romero. Eche los granos de avena y cueza todo de 35 a 50 minutos (según el tamaño del grano). Escurra la avena y déjela reposar un rato. • Mientras tanto, lave bien el pepino, séquelo y trocéelo. • Pele el mango, quítele el hueso y trocee la pulpa. • Aplaste el queso en un plato hondo con un tenedor y mezcle con él el aceite y el vinagre. • Añada la crema de leche y la pimienta y bata hasta lograr una salsa espesa. • Mezcle la salsa y las hierbas frescas con los ingredientes antes preparados. Deje reposar la ensalada unos 10 minutos. Añada los anacardos a la ensalada ya lista.

Ensaladas de invierno con verduras

Para conseguir una cena completa y nutritiva

Ensalada de mijo

A la izquierda de la foto

150 g de mijo

1-2 cucharaditas de sal

½ l de caldo de verduras

150 g de zanahorias

150 g de remolacha

1 manzana ácida grande

1 cucharada de zumo de limón

2 yogures cremosos

1 pizca de sal y pimienta negra recién molida

Unas gotas de tabasco

½ manojo de berros

2 cucharadas de granos de sésamo

Completa • Fácil

Por persona aproximadamente 1 590 kJ/380 kcal · 8 g de proteínas · 20 g de grasas · 43 g de hidratos de carbono

Tiempo de preparación: 45 minutos

Vierta el mijo en el caldo de verduras salado e hirviendo. Tape y deje cocer lentamente 20 minutos y luego déjelo enfriar. • Pele las zanahorias y las remolachas y rállelas en tiras gruesas. • Pele la manzana, córtela por la mitad y retire el corazón. Corte en rodajas finas las mitades de la manzana y rocíelas con el zumo de limón. Mezcle las verduras y la manzana y póngalo en 4 platos. • Reparta en ellos el mijo una vez frío. • Bata el yogur, la sal, la pimienta y el tabasco. Corte los tallos de los berros y lávelos en un escurridor bajo el chorro del agua corriente; sacúdalos, séquelos y agréguelos a la salsa. Vierta la salsa sobre el mijo. Tueste los granos de sésamo en una sartén seca y espárzalos sobre la ensalada.

Ensalada de escorzonera con carne de buey

A la derecha de la foto

2 cucharada de vinagre

2 cucharadas de harina

500 g de escorzoneras

½ l de caldo de carne

300 g de guisantes congelados

400 g de carne magra de buey

4 cucharadas de vinagre de hierbas · 2 zanahorias

½ cucharadita de pimienta negra recién molida y pimentón dulce

1 cucharadita de mostaza

2 cucharadas de aceite de semillas · 1 cucharadita de sal

2 cucharadas de perejil picado

Elaborada

Por persona 1 500 kJ/360 kcal · 30 g de proteínas · 15 g de grasas · 25 g de hidratos de carbono

Tiempo de preparación: 1 hora

Tiempo de reposo: 30 minutos

Mezcle en un recipiente 1 l de agua, el vinagre y la harina. Lave las escorzoneras, pélelas y córtelas en trozos e inmediatamente sumérjalas en el agua acidulada para que no se oscurezcan. • Hierva las escorzoneras en el caldo de carne de 25 a 30 min. • Lave las zanahorias, pélelas, córtelas en rodajas y agréguelas a las escorzoneras 10 min. antes de finalizar la cocción. • Ponga a cocer los guisantes con ⅛ l de agua y hiérvalos 5 min. Trocee la carne. • Escurra las escorzoneras. Guarde 1,2 dl de caldo. Escurra a fondo los guisantes y mézclelos con la verdura y los trozos de carne. • Mezcle el caldo reservado con el vinagre, la sal, la pimienta, el pimentón y la mostaza. • Agregue el aceite, removiendo, y el perejil. • Aliñe la ensalada con la salsa de hierbas caliente y déjela reposar tapada, durante 30 minutos.

Ensaladas de granos de trigo verde y seco

Con trigo, pimientos y verduras se puede hacer con rapidez una comida entera

Ensalada de tomates y pimientos con trigo

A la izquierda de la foto

150 g de granos de trigo seco
1 pimiento verde
200 g de tomates
3 cucharadas de vinagre de manzana
1 pizca de sal, pimienta blanca recién molida, azúcar y mostaza
½ cucharadita de pimentón dulce
3 cucharadas de aceite de cártamo · 1 diente de ajo
1 cebolla pequeña
1 manojo de perejil
1 manojo de cebollino

Fácil • Económica

Por persona aproximadamente 800 kJ/190 kcal · 6 g de proteínas · 5 g de grasas · 29 g de hidratos de carbono

Tiempo de preparación: 30 minutos

Lave los granos de trigo en un escurridor bajo el agua corriente y déjelos remojar en ½ l de agua toda la noche. • Hiérvalos al día siguiente en el agua del remojo durante 20 minutos. • Lave el pimiento, córtelo por la mitad, quítele el pedúnculo, membranas y semillas y corte las mitades en tiras finas. • Pele los tomates, córtelos en octavos y retire los pedúnculos. • Mezcle estos ingredientes. • Bata el vinagre, la sal, la pimienta, el azúcar, la mostaza, el pimentón y el aceite. Pele el diente de ajo y la cebolla. Prense el ajo y agréguelo a la salsa; pique finamente la cebolla y mézclela con la salsa. • Lave las hierbas, déjelas secar, píquelas finamente, agréguelas a la salsa y remueva. • Vierta la salsa sobre la ensalada. Mezcle bien y déjela reposar durante 30 minutos.

Ensalada de trigo con salsa de raiforte

A la derecha de la foto

100 g de granos de trigo verde
½ cucharadita de sal
1 pera madura, pero firme
2 cucharadas de zumo de limón
½ pepino
1 pimiento rojo y 1 verde
1 dl de yogur cremoso
2 cucharadas de crema de leche
2 cucharadas de raiforte rallado
2 cucharadas de vinagre de manzana
2 pizcas de sal y pimienta negra blanca
1 pizca de azúcar
1 manojo de berros

Elaborada

Por persona aproximadamente 800 kJ/190 kcal · 7 g de proteínas · 5 g de grasas · 30 g de hidratos de carbono

Tiempo de remojo: 12 horas
Tiempo de preparación: 30 minutos
Tiempo de reposo: 30 minutos

Lave los granos de trigo en un escurridor bajo el agua corriente y déjelos remojar toda la noche. • Al día siguiente hiérvalos en el agua del remojo con la sal durante 20 minutos a fuego lento; luego escúrralos. Lave bien la pera, séquela, córtela en dos mitades, quítele el corazón y corte la pulpa en tiras finas. Rocíe éstas con el zumo de limón. • Lave el pepino, séquelo y córtelo en rodajas. • Prepare los pimientos, lávelos, córtelos por la mitad y quite pedúnculos, membranas y semillas. Corte las mitades en tiras finas. • Bata el yogur con la crema de leche, el raiforte, el vinagre de manzana, la sal, la pimienta y el azúcar; mezcle esta salsa con los ingredientes de la ensalada y déjela reposar 30 minutos. Adorne con los berros.

Ensalada de gérmenes de lenteja

Prepárelo con gérmenes cultivados por usted mismo

250 g de gérmenes de lenteja
2 cebollas rojas medianas
1 endibia
1 escarola de Batavia o lechuga romana
1 pomelo
2 cucharadas de almendras
1 dl de crema de leche
1 *petit-suisse* grande
1-2 cucharadas de raiforte rallado
2 pizcas de sal y pimienta blanca recién molida
4-5 cucharadas de vinagre de frutas
2 cebollas tiernas
2 huevos duros

Fácil • Coste medio

Por persona aproximadamente 1 680 kJ/400 kcal · 16 g de proteínas · 28 g de grasas · 22 g de hidratos de carbono

Tiempo de preparación: 30 minutos

Lave los gérmenes de lenteja, blanquéelos 5 minutos en agua hirviendo. Déjelos ecurrir en un colador. • Pele las cebollas y córtelas en rodajas finas. Quite las hojas exteriores estropeadas de la endibia, lave el cogollo y corte por el extremo de la raíz una cuña de unos 2 cm de larga. Corte el cogollo en anillos. • Deshoje la escarola o la lechuga; lávela, sacúdala y córtela en tiras. • Divida el pomelo en 2 mitades y corte los gajos con un cuchillo de punta afilada. • Trocee las almendras. • Mezcle todos los ingredientes de la ensalada. • Vierta encima el zumo de pomelo restante. • Bata la crema de leche, el *petit-suisse*, el raiforte, la sal, la pimienta y el vinagre. Prepare las cebollas tiernas, córtelas en anillos finos y agréguelos a la salsa. Vierta la salsa sobre la ensalada y déjelo reposar 30 minutos. • Pele los huevos, córtelos en octavos y repártalos sobre la ensalada.

Caponata

Una especialidad siciliana

500 g de berenjenas
1 cucharadita de sal
2 cucharadas de pasas sultanas
250 g de cebollas
250 g de tomates
1 tallo de apio pequeño
80 g de aceitunas verdes
6 cucharadas de aceite de oliva
1 cucharada de alcaparras
1 cucharada de piñones
2 pizcas de sal y pimienta negra recién molida
½ taza escasa de vinagre de vino
1 cucharada de azúcar

Receta clásica • Elaborada

Por persona aproximadamente 880 kJ/210 kcal · 5 g de proteínas · 11 g de grasas · 23 g de hidratos de carbono

Tiempo de preparación: 1 ½ h.
Tiempo de refrigeración: 2 horas

Corte los tallos de las berenjenas. Lávelas, córtelas en trocitos pequeños y espolvoréelos con sal. Deje reposar 30 minutos. • Lave las pasas con agua caliente y déjelas escurrir. • Pele las cebollas y córtelas en anillos finos. • Escalde los tomates, pélelos y quíteles pedúnculo y semillas. Corte en trozos pequeños la pulpa.. • Lave el apio y córtelo en trozos de 2 cm; blanquéelos en agua ligeramente hirviente durante 5 minutos y déjelos secar. • Deshuese las aceitunas y córtelas en trozos pequeños. • Lave los dados de berenjena, escúrralos bien y séquelos. • Caliente 4 cucharadas de aceite en una sartén, fríalos a fuego vivo unos minutos y retírelos. Añada 2 cucharadas de aceite a la sartén, reduzca el calor y dore los anillos de cebolla. Pase también por la sartén los trozos de apio. Eche luego los tomates y 5 minutos después añada las aceitunas, las alcaparras, las pasas, los piñones y los trozos de berenjena. • Sazone las verduras con sal, pimienta, vinagre y azúcar, y déjelas cocer 10 minutos más para evaporar el vinagre. • Sirva la caponata fría.

Judías en blanco y negro

Fibras, proteínas y minerales en la ensalada

Ensalada de judías blancas

A la izquierda de la foto

---

200 g de judías blancas grandes
¾ l de agua
½ cucharadita de sal
200 g de gérmenes de soja
1 manzana roja
El zumo de ½ limón
½ pepino
½ hinojo
300 g de jamón dulce magro
4 cucharadas de vinagre de hierbas
1 cucharada de raiforte rallado
2 pizcas de sal y pimienta blanca recién molida
3-4 cucharadas de aceite de girasol
3 cucharadas de nueces picadas en trozos grandes

Fácil • Económica

Por persona aproximadamente

1 600 kJ/380 kcal · 21 g de proteínas · 25 g de grasas · 23 g de hidratos de carbono

Tiempo de remojo: 8-12 horas
Tiempo de preparación: 1 hora y 10 minutos
Tiempo de reposo: 1 hora

Ponga a remojar las judías toda la noche en agua abundante. • Hiérvalas tras cambiar el agua a fuego lento durante 1 hora. A los 50 minutos de cocción, añada la sal. Blanquee los gérmenes de soja 3 minutos en agua hirviendo y déjelos escurrir. • Lave la manzana, córtela en 4 trozos y quítele el corazón; córtela luego en cuñitas finas y rocíelas con el zumo de limón. Pele el pepino y córtelo en tiras finas. Quite las hojas externas del hinojo, corte los tallos y divídalos en dos. Lave las mitades del tubérculo y córtelo en tiras. Corte también el jamón de la misma forma. • Mezcle todos los ingredientes. Escurra las judías y mézclelas con el resto de los in-

gredientes cuando todavía estén calientes. • Bata el vinagre, el raiforte, la sal, la pimienta y el aceite para obtener la salsa. Añádala a la ensalada, junto con las nueces, y deje reposar todo durante 1 hora.

Ensalada de judías negras

A la derecha de la foto

---

200 g de judías negras
½ cucharadita de sal
2-3 cucharadas de zumo de naranja · 3 ramitas de ajedrea
4 cucharadas de vinagre
1 pizca de sal y pimienta de Cayena
4 cucharadas de aceite de oliva
1 manojo de perejil
250 g de cebollas tiernas
2 naranjas medianas

Rápida • Económica

Por persona 1 300 kJ/310 kcal ·

13 g de proteínas · 9 g de grasas · 43 g de hidratos de carbono

Tiempo de remojo: 12 horas
Tiempo de preparación: 1 hora y 15 minutos.
Tiempo de reposo: 1 hora

Lave las judías y déjelas remojar toda la noche en agua fría. • Tire el agua del remojo y deje cocer las judías en ¾ l de agua con 2 ramitas de ajedrea durante 1 hora. Añada la sal a los 50 minutos. • Bata el zumo de naranja con el vinagre, la sal, la pimienta de Cayena y el aceite. Lave el perejil, séquelo, píquelo junto con el resto de la ajedrea y añádalo a la salsa. • Deje escurrir las judías. Rocíelas con la salsa de la ensalada cuando estén todavía calientes. • Pele las cebollas, píquelas finamente y mézclelas con las judías. Deje reposar durante 1 hora. Pele las naranjas, córtelas en rodajas y distribúyalas en forma de corona alrededor del plato. Sirva la ensalada en el centro.

Sabrosas ensaladas con carne de cerdo

El jamón y las chuletas son, relativamente, partes magras del cerdo

Ensalada de lentejas con chuleta ahumada

A la izquierda de la foto

250 g de lentejas rojas o comunes · 1 cebolla pequeña

250 g de chuletas de cerdo ahumadas

2 kiwis

1 cucharada de zumo de limón

2 pizcas de sal

1 pizca de pimienta blanca recién molida y azúcar

2 ½ cucharaditas de jarabe de arce o miel

1 cucharada de aceite de girasol

2 cucharadas de cebollino picado

Fácil

Por persona aproximadamente 1 890 kJ/450 kcal · 27 g de proteínas · 19 g de grasas · 44 g de hidratos de carbono

Tiempo de preparación: 30 min.

Eche las lentejas en una cacerola y cúbralas con agua. Pele la cebolla y divídala en dos, añádala a las lentejas y cuézalas con el recipiente tapado a fuego lento de 15 a 20 minutos. Corte las chuletas en trozos pequeños. • Pele los kiwis, córtelos a lo largo en 4 pedazos, y éstos, a su vez, en rodajas no muy finas. Mezcle el zumo de limón con la sal, la pimienta y el azúcar, agregue el jarabe de arce y añada por último el aceite, removiendo con una batidora. • Vierta las lentejas hervidas en un colador y deje que se enfríen. Mezcle las lentejas frías con las chuletas y los kiwis y añada la salsa. Mezcle la ensalada con la salsa para que adquiera un fuerte sabor agridulce. • Antes de servir la ensalada esparza por encima el cebollino picado.

Ensalada de jamón

A la derecha de la foto

300 g de guisantes congelados

1 pizca de sal

4 cucharadas de agua

400 g de jamón dulce desgrasado en lonchas gruesas

1 pepinillo grande en vinagre

100 g de hierba de los canónigos

2 cucharaditas de zumo de limón

1 pizca de sal y pimienta blanca recién molida

2 cucharadas de aceite de maíz

200 g de granos de maíz enlatado

2 cucharadas de cebollitas en vinagre

Coste medio

Por persona aproximadamente 1 800 kJ/450 kcal · 27 g de proteínas · 26 g de grasas · 24 g de hidratos de carbono

Tiempo de preparación: 30 minutos

Cueza los guisantes congelados en un cazo con agua salada, tapados y a fuego lento. Déjelos escurrir. Reserve 1 cucharada del agua de cocción. • Corte el jamón en tiras de 1 cm de ancho y 3 de largo. Corte el pepino de la misma forma. Quite los extremos de la hierba de los canónigos, lávela varias veces en un recipiente de agua y séquela. Mezcle el zumo de limón con la sal, la pimienta y el agua reservada de los guisantes; incorpore el aceite batiendo con una batidora de varillas y aliñe con ello la hierba de los canónigos. • Agregue a la ensalada las tiras de jamón y pepino, los guisantes, los granos de maíz y las cebollitas.

Nuestra sugerencia: La hierba de los canónigos puede sustituirse por endibia o escarola cortada de forma similar.

La carne de buey en la cocina fría

De esta manera, tan llena de fantasía, se revaloriza la carne de buey cocida

Ensalada de buey con remolacha

A la izquierda de la foto

400 g de carne de buey magra cocida
150 g de remolacha en conserva
1 pepinillo grande en vinagre
2 cebollas
100 g de granos de maíz enlatados
3 cucharadas de vinagre de vino tinto
1 cucharada del zumo de la remolacha
2 pizcas de sal y pimienta blanca recién molida
1 cucharadita de mostaza
2 cucharadas de hierbas recién picadas, como mejorana, perejil, cebollino, albahaca
2 cucharadas de aceite

Fácil • Económica

Por persona aproximadamente
1 210 kJ/290 kcal · 24 g de proteínas · 15 g de grasas · 15 g de hidratos de carbono

Tiempo de preparación: 30 minutos
Tiempo de reposo: 2 horas

Corte la carne de buey en tiras finas. • Trocee la remolacha y los pepinillos. • Pele las cebollas y córtelas en anillos finos. Deje escurrir los granos de maíz. Mezcle el vinagre, el zumo de la remolacha, la sal, la pimienta, la mostaza y el aceite. • Ponga los ingredientes en una fuente, mézclelos con la sal y deje reposar la ensalada 2 horas como mínimo.

Ensalada de judías y buey

A la derecha de la foto

500 g de judías verdes
1 l de agua
½ cucharadita de sal
400 g de carne de buey magra cocida
1 cebolla blanca grande
2 tomates
2 huevos duros
4 cucharadas de mayonesa (50 % de materia grasa)
2 cucharadas de ketchup
2 dl de crema de leche agria
1 cucharada de vinagre de vino tinto
1 pizca de sal, pimienta negra recién molida, azúcar
1 lechuga pequeña
2 cucharada de perejil picado

Fácil • Económica

Por persona aproximadamente
1 890 kJ/450 kcal · 34 g de proteínas · 27 g de grasas · 20 g de hidratos de carbono

Tiempo de preparación: 45 minutos

Prepare las judías, lávelas, córtelas en trozos, póngalas en agua hirviendo y cuézalas 20 minutos. • Corte la carne de buey en tiras. • Pele las cebollas y píquelas finamente. • Lave los tomates, séquelos, retire los pedúnculos y córtelos en gajos. • Pele los huevos y cuartéelos. Mezcle la mayonesa, el ketchup, la crema agria, el vinagre y la sal, la pimienta y el azúcar. • Separe las hojas de la lechuga una por una, lávelas, sacúdalas y extiéndalas sobre una fuente. Escurra las judías, déjelas enfriar un poco y mézclelas con las tiras de carne, la cebolla y los tomates. Vierta la salsa por encima, mezcle bien la ensalada y échela sobre las hojas de lechuga. • Adorne con los trozos de huevo y espolvoree con el perejil.

Nuestra sugerencia: Puede utilizar también para esta ensalada restos de asado del día anterior.

Suculentas ensaladas de arroz

Una española, otra con aroma del lejano Oriente

Ensalada de arroz con salsa de yogur

A la izquierda de la foto

¼ de caldo de pollo
300 g de pechuga de pollo
½ l de agua · 2 plátanos
½ cucharadita de sal
100 g de arroz de grano largo
4 mandarinas · 1 yogur cremoso
2 cucharadas de mayonesa (50 % de materia grasa)
3 cucharadas de zumo de limón
2 cucharadas de salsa de soja
1 cucharadita de curry en polvo
1 pizca de pimienta blanca
2 cucharadas de pasas

Fácil · Rápida

Por persona 1 380 kJ/330 kcal · 22 g de proteínas · 5 g de grasas · 54 g de hidratos de carbono

Tiempo de preparación: 30 min.
Tiempo de reposo: 30 minutos

Caliente el caldo de pollo en un cazo. ● Añádale la pechuga de pollo y déjela hervir, tapada y a fuego lento, 20 min. Ponga a hervir el agua con la sal. Eche en ella el arroz, remuévalo un poco y déjelo cocer 15 min., destapado y a fuego moderado. ● Entretanto, pele 2 mandarinas y separe los gajos. Exprima las otras 2. ● Bata el zumo de las mandarinas con el yogur, la mayonesa, el zumo de naranja, la salsa de soja, el curry y la pimienta en una ensaladera. ● Lave las pasas y agréguelas al arroz los últimos 5 min. Escurra el arroz y lávelo con agua fría. Corte las pechugas de pollo en dados. ● Añada 6 cucharadas del caldo de pollo a la salsa y remuévalo todo. Pele los plátanos, córtelos en rodajas y mézclelos con los otros ingredientes y la salsa. ● Deje reposar la ensalada, cubierta, durante 30 min.

Ensalada de arroz española

A la derecha de la foto

200 g de arroz de grano largo
½ cucharadita de sal
2 pimientos verdes
500 g de tomate
½ pollo asado · 2 cebollas
200 g de gambas
1 lata de atún (180 g)
100 g de aceitunas negras
6 cucharadas de vinagre de vino tinto
½ cucharadita de sal, pimienta negra recién molida y pimentón dulce
4 cucharadas de aceite de oliva virgen · 4 filetes de anchoa
2 cucharadas de perejil picado

Coste medio

Por persona 2 980 kJ/710 kcal · 55 g de proteínas · 32 g de grasas · 55 g de hidratos de carbono

Tiempo de preparación: 45 min.

Eche el arroz en agua salada hirviendo y déjelo cocer a fuego lento durante 15 minutos. ● Corte por la mitad los pimientos, lávelos y córtelos en tiras. ● Lave los tomates, quíteles el pedúnculo y córtelos en gajos. ● Pele y deshuese el pollo asado y trocee la carne. ● Lave las gambas con agua fría. Deje escurrir bien el atún y trocéelo. ● Pele las cebollas y píquelas finamente. ● Deshuese las aceitunas. ● Escurra el arroz y déjelo enfriar un poco, mézclelo después con el resto de ingredientes ya preparados de la ensalada. ● Bata el vinagre, la sal, la pimienta, el pimentón y el aceite. Seque los filetes de anchoa, córtelos en trocitos pequeños, mézclelos con la salsa y aliñe con ésta la ensalada. Sirva la ensalada espolvoreada con perejil.

Ensalada de brécoles y espárragos

Un bocado ligero y exquisito

Ensalada de pescado ahumado

Una ensalada fina para la Cuaresma

Ingredientes para 6 personas:

1 kg de espárragos	
1 cucharadita de sal	
1 cucharada de cubito de caldo de pollo · 1 kg de brécoles	
400 g de salmón ahumado	
1 cucharada de mostaza semifuerte	
½ cucharadita de sal y pimienta blanca recién molida	
2 cucharaditas de jerez seco	
1 cucharada de jarabe de arce o miel · 1 manojo de eneldo	
2 cucharadas de vinagre de vino blanco · 2 yemas de huevo	
⅛ l de aceite de semillas	

Coste medio

Por persona 2 310 kJ/550 kcal · 44 g de proteínas · 30 g de grasas · 23 g de hidratos de carbono

Tiempo de preparación: 40 min.

Pele los tallos de espárrago de arriba abajo, únalos en manojos con un bramante y póngalos a cocer en 1 l de agua hirviendo a la que habrá añadido ½ cucharadita de sal. Déjelos hervir de 15 a 20 min. ● Prepare los brécoles, córtelos y déjelos cocer 15 min. en 1 l de agua con ½ cucharadita de sal y el cubito de pollo. ● Corte el salmón en tiras anchas. Bata la mostaza, la sal, la pimienta, el jerez, el jarabe de arce y el vinagre; incorpore la yema de huevo y añada el aceite vertiéndolo en un chorrito fino y constante sin dejar de remover. ● Lave el eneldo, séquelo, píquelo y mézclelo con la salsa. ● Saque los espárragos del agua y utilice para la ensalada el tercio superior de los mismos. ● Deje escurrir los brécoles, pero guarde 1 dl del líquido de cocción. ● Corte por la mitad a lo largo los trozos de espárrago y póngalos con los brécoles y el salmón en una fuente. Sazone el caldo con sal, pimienta y vinagre, y vierta sobre la ensalada. Sirva aparte la salsa de mostaza.

4 huevos	
1 lechuga	
4 tomates	
100 g de champiñones	
2 cucharadas de zumo de limón	
1 guindilla pequeña fresca	
1 pizca de sal	
2 cucharadas de vinagre	
5 cucharadas de aceite de oliva	
250 g de pescado ahumado a su elección	
10 aceitunas negras	

Fácil ● Rápida

Por persona aproximadamente 3 100 kJ/740 kcal · 43 g de proteínas · 58 g de grasas · 9 g de hidratos de carbono

Tiempo de preparación: 30 minutos

Cueza los huevos en agua hirviendo durante 8 minutos, pélelos y déjelos enfriar en agua. ● Prepare la lechuga, córtela en tiras finas, lávela a fondo para eliminar los residuos de tierra y agítela para eliminar las gotas de agua o déjela escurrir bien. ● Lave los tomates y quíteles los pedúnculos; córtelos después en octavos. ● Prepare los champiñones, lávelos, córtelos en rodajas finas y póngalos en una ensaladera. Vierta por encima el zumo de limón y mézclelos cuidadosamente para que no se ennegrezcan. ● Corte por la mitad la guindilla, retire el pedúnculo y quítele las semillas. Lave las mitades, córtelas en tiras finas y espolvoréelas con sal en un cuenco. Añada el vinagre y el aceite, removiendo a fondo. Corte el pescado en filetes y los huevos en octavos. ● Añada los tomates, el pescado, los huevos y las aceitunas a los champiñones. Agregue la lechuga y mézclelo todo en la mesa. ● Puede acompañar esta ensalada con panecillos de centeno.

Ensaladas para fiestas

Originales o acreditadas, son un éxito en
cualquier caso, pues incitan a probar
y a saborear, y crean la base que necesita
una grata francachela.

Aves y arenques, ingredientes clásicos en las ensaladas

Ensaladas para días festivos inspiradas en viejas recetas

Ensalada de arenques

A la izquierda de la foto

8 arenques en salmuera
4 huevas · 5 huevos
4 cucharadas de crema de leche
8 cucharadas de zumo de limón
1 cucharada de mostaza
semifuerte
1,2 dl de aceite de girasol
1 pizca de pimienta negra recién
molida · 2 cebollas
½ cucharadita de azúcar
4 cucharadas de alcaparras
4 pepinillos en vinagre
450 g de remolacha en conserva
500 g de lomo de cerdo
ahumado · ½ ramillete de perejil

Elaborada • Fácil

Por persona 2 690 kJ/640 kcal ·
47 g de proteínas · 45 g de grasas
· 12 g de hidratos de carbono

Tiempo de remojo: 30 minutos
Tiempo de preparación: 40 min.
Tiempo de reposo: 2 horas

Quite la piel y las espinas a los arenques. • Separe las huevas. Remoje los filetes y las huevas 30 minutos en agua fría. • Renueve una vez el agua. • Cueza los huevos en agua hirviendo durante 8 minutos; refrésquelos y pélelos. • Pase por un tamiz las yemas de 4 huevos y las huevas. Mezcle bien la crema de leche, el zumo de limón, la mostaza y el aceite. Agregue a la salsa la pimienta, el azúcar y las alcaparras. • Pele las cebollas y píquelas finamente. Corte en dados los pepinillos en vinagre, la yema de los cuatro huevos, las remolachas, el cerdo y los filetes de arenque. Mezcle los ingredientes con la salsa y deje reposar 2 horas la ensalada tapada. Para servir, adorne con el huevo restante troceado y el perejil.

Ensalada de gallina y arroz

A la derecha de la foto

Ingredientes para 8 personas:
1 gallina de 1,5 kg · 2 l de agua
1 manojo de hierbas para el
caldo · 1 ½ cucharaditas de sal
½ cucharadita de pimienta en
grano · 3 de curry en polvo
250 g de arroz de grano largo
250 g de mayonesa
8 cucharadas de leche
concentrada
2 cucharaditas de pimienta
semifuerte · 1 diente de ajo
8 cucharadas de zumo de limón
2 cucharadas de salsa de soja
1 pizca de jengibre en polvo
1 cucharadita de azúcar
4 mandarinas · 2 manzanas
100 g de champiñones
1 cucharada de mantequilla

Elaborada • Fácil

Por persona 2 310 kJ/550 kcal ·
35 g de proteínas · 27 g de grasas
· 42 g de hidratos de carbono

Tiempo de preparación: 2 horas
Tiempo de reposo: 1 hora

Deje cocer la gallina en una cacerola con 1 l de agua y sal de 1 ½ a 2 horas. Tras 1 hora añada el perejil, el apio y la pimienta en grano. • Eche el arroz en 1 l de agua hirviendo con sal; cuézalo 12 min. y déjelo escurrir. • Bata la mayonesa, la leche concentrada, la mostaza, el zumo de limón, la salsa de soja, el curry, el jengibre, el azúcar y el ajo prensado. • Pele las mandarinas y las manzanas, córtelas en gajos y añádalas al arroz. • Prepare los champiñones, lávelos, córtelos en lonchas y fríalos en mantequilla 2 min. Corte en trocitos la carne de gallina y mézclela con los champiñones y la ensalada. Déjela macerar tapada 1 hora.

Ensalada flamenca

Muy apropiada para la Cuaresma

Ingredientes para 8 personas:

600 g de arenques en salmuera
½ l de leche
2 kg de patatas nuevas, pequeñas
2 cebollas medianas
3 cucharadas de grasa de coco o manteca
4 endibias
3-4 cucharadas de vinagre de vino blanco
6 cucharadas de aceite de germen de trigo
1 manojo de perifollo y estragón

Receta clásica

Por persona aproximadamente
2 310 kJ/550 kcal · 22 g de
proteínas · 27 g de grasas · 52 g
de hidratos de carbono

Tiempo de remojo: 4 horas
Tiempo de preparación: 1 hora

Ponga a remojar los arenques cubiertos de agua fría durante 3 horas y renuéveles el agua 3 veces. Escúrralos después y marínelos durante 1 hora en la leche. • Lave a fondo las patatas bajo el agua corriente, déjelas cocer cubiertas con agua unos 30 minutos. • Pele las cebollas y píquelas finamente. • Caliente la grasa de coco o manteca en una sartén y dore la cebolla en ella. Saque la cebolla de la sartén con una espumadera y déjela sobre papel de cocina para que escurra la grasa. • Quite las hojas externas estropeadas de las endibias, lávelas y séquelas, corte la cuña amarga del extremo de la raíz y luego las endibias en tiras no muy finas. • Retire los arenques de la leche, séquelos y córtelos en trozos pequeños iguales. • Escurra las patatas, pélelas y córtelas en tiras. • Mezcle el arenque, las patatas, las cebollas y las endibias con el vinagre blanco y el aceite de germen de trigo y alíñelo. • Deje reposar un rato la ensalada. • Lave el perifollo y el estragón, séquelos bien y corte las hojas en trocitos pequeños. Esparza las hierbas sobre la ensalada.

Ensalada de patatas y judías

Ingredientes variados y sabrosos

Ingredientes para 8 personas:

2 kg de patatas nuevas

500 g de judías verdes

1 manojo de ajedrea

2 pizcas de sal · 1 diente de ajo

2 cebollas medianas

1 manojo de tomillo

1 pizca de pimienta blanca recién molida · 1 pizca de azúcar

1,2 dl de caldo de carne caliente

1,2 dl de vinagre de vino

2 cucharaditas de pimienta semifuerte

1 pizca de azúcar

8 tomates medianos

400 g de queso de oveja

100 g de aceitunas rellenas de pimiento

50 g de aceitunas negras

1 manojo de perejil y albahaca

4 cucharadas de aceite de girasol y de oliva

Elaborada

Por persona 1 680 kJ/400 kcal · 14 g de proteínas · 16 g de grasas · 53 g de hidratos de carbono

Tiempo de preparación: 1 hora
Tiempo de reposo: 1 hora

Lave las patatas, hiérvalas cubiertas con agua durante 20 minutos. ● Prepare las judías, lávelas y córtelas en trozos pequeños. Cueza en una cacerola pequeña y tapada la ajedrea con las judías en 1,2 dl de agua con una pizca de sal 15 minutos y déjela escurrir. ● Saque las patatas, pélelas y córtelas en mitades o cuartos. ● Frote una fuente con el diente de ajo, pelado y partido por la mitad. Añada las patatas, las judías, la cebolla picada, las hojitas de tomillo y una pizca de sal y pimienta. ● Mezcle el caldo de carne con el vinagre, la mostaza y el azúcar, viértalo sobre la ensalada y mezcle bien todos los ingredientes. ● Deje reposar la ensalada tapada durante 1 hora. Corte los tomates en gajos y el queso de oveja en dados. Deje escurrir las aceitunas, lave las hierbas y píquelas finamente. Añada a la ensalada estos ingredientes preparados y el aceite; mezcle todo a fondo.

Nuevas variaciones sobre el arroz

Puede elegir entre el arroz integral y el arroz de grano largo

Ensalada de arroz integral con verduras

A la izquierda de la foto

Ingredientes para 8 personas:

400 g de arroz integral

1 l de agua

½ cucharadita de sal

3 zanahorias

3 puerros

400 g de apio

100 g de nueces picadas

4 cucharadas de vinagre de hierbas

2 cucharadas de zumo de limón

2 pizcas de sal y pimienta blanca recién molida

3 cucharadas de perejil picado

Económica • Fácil

Por persona aproximadamente 1 510 kJ/360 kcal · 8 g de proteínas · 13 g de grasas · 53 g de hidratos de carbono

Tiempo de preparación: 50 minutos
Tiempo de reposo: 15 minutos

Eche el arroz en agua hirviendo salada y cuézalo a fuego lento durante 30 minutos, luego déjelo escurrir. • Pele las zanahorias, lávelas y córtelas en tiritas finas. • Corte a los puerros los extremos de las raíces y las hojas verdes. Corte por la mitad los tallos, lávelos a fondo y córtelos en finas rodajas. • Pele el apio, lávelo, córtelo en tiritas finas y mézclelo con las nueces, el puerro, la zanahoria y el arroz hervido. • Mezcle el vinagre con el zumo de limón, la sal, la pimienta, el aceite y perejil picado y aliñe con ello la ensalada. • Déjela reposar en un recipiente tapado durante 15 minutos.

Ensalada de arroz con pepinos y champiñones

A la derecha de la foto

Ingredientes para 8 personas:

400 g de arroz de grano largo

1 l de agua

½ cucharadita de sal

400 g de champiñones

1 pepino

2 cebollas

200 g de jamón serrano

2 cucharadas de alcaparras pequeñas

5 cucharadas de vinagre de hierbas

1 cucharadita de sal y pimienta negra recién molida

5 cucharadas de aceite de oliva virgen

2 manojos de hierbas variadas, como perifollo, cebolletas y estragón

Económica • Fácil

Por persona aproximadamente 1 380 kJ/330 kcal · 11 g de proteínas · 14 g de grasas · 48 g de hidratos de carbono

Tiempo de preparación: 40 minutos
Tiempo de reposo: 14 minutos

Eche el arroz en agua hirviente salada y déjelo cocer a fuego lento durante 20 minutos; escúrralo después. • Prepare los champiñones, lávelos y córtelos en láminas finas. • Lave el pepino con agua tibia, séquelo y córtelo en rodajas. • Pele las cebollas y píquelas. Corte el jamón en tiras y deje escurrir las alcaparras. • Mezcle el arroz frío con los ingredientes de la ensalada antes preparados. Mezcle el vinagre, la sal y la pimienta y añada el aceite, removiendo. Lave las hierbas, séquelas, píquelas y añádalas a la ensalada junto con la salsa.

103

Ensaladas para los aficionados a los granos

Conservadas en frío estas dos ensaladas, guardan su buen sabor durante varias horas

Ensalada de arroz integral y lentejas

A la izquierda de la foto

Ingredientes para 8 personas:
200 g de arroz integral y lentejas
1 cucharada de cubito de caldo de verdura · 1 hoja de laurel
2 cucharaditas de tomillo seco
400-500 g de cebollas tiernas
6 cucharadas de aceite de oliva
200 g de pepinillos en vinagre
500 g de carne de buey cocida
½ l de crema de leche agria
2 cucharadas de salsa de soja,
2 de vinagre de manzana y
2 de alcaparras
25 g de filetes de anchoa
2-3 pizcas de pimienta negra recién molida · 2 manzanas
3 cucharadas de perejil picado
½ taza de pepino licuado

Fácil

Por persona 1 800 kJ/430 kcal ·

24 g de proteínas · 16 g de grasas · 48 g de hidratos de carbono

Tiempo de remojo: 1 hora
Tiempo de preparación: 50 min.
Tiempo de reposo: 20 minutos

Deje en remojo las lentejas 1 hora en 1 l de agua. • Hierva las lentejas y el arroz en el agua del remojo con el cubito, el laurel y 1 cucharada de tomillo 40 min. Deje escurrir las lentejas y el arroz y retire el laurel. • Pele las cebollas, píquelas y dórelas en el aceite de oliva. • Lave las manzanas, divídalas en cuartos, quíteles el corazón y trocéelas. • Trocee los pepinillos en vinagre. • Corte la carne de buey en tiras finas. • Mezcle la crema agria con la salsa de soja y el vinagre. Pique las alcaparras y las anchoas, mézclelas con la salsa y todos los ingredientes de la ensalada; sazónelo todo con pimienta. • Deje reposar la ensalada 20 min. Añada el perejil y el pepino licuado para obtener una ensalada jugosa.

Ensalada de centeno y trigo verde

A la derecha de la foto

Ingredientes para 8 personas:
100 g de trigo verde y centeno
1 l de agua
1 cucharada de cubito de caldo de verdura
500 g de judías verdes
350 g de puerros
150 g de aceitunas rellenas de pimiento
6 cucharadas de aceite de oliva,
6 de vinagre de estragón y
6 de puré de tomate
2 cucharaditas de albahaca picada
1 cucharadita de cilantro molido
2-3 pizcas de pimienta fresca recién molida
2 cucharadas de perejil picado

Completa • Económica

Por persona 800 kJ/190 kcal ·

6 g de proteínas · 7 g de grasas · 24 g de hidratos de carbono

Tiempo de remojo: 12 horas
Tiempo de preparación: 50 min.
Tiempo de reposo: 30 minutos

Deje remojar el trigo y el centeno con el agua y el cubito en un recipiente tapado 12 horas. • Cueza luego los granos en el agua del remojo a fuego lento 40 minutos. • Prepare las judías, límpielas, trocéelas y añádalas a los granos durante los últimos 20 minutos de cocción. • Escurra los granos y las judías y déjelos secar. • Lave el puerro, retire los extremos y córtelo en anillos. • Corte por la mitad las aceitunas. • Mezcle el aceite, el vinagre y el puré de tomate e incorpórelos a los ingredientes ya preparados. Sazone la ensalada con la albahaca, el cilantro y la pimienta y déjela reposar 30 minutos. Espolvoree con el perejil.

Ensaladas que enriquecen un buffet

Las cebollas y el tofu son los protagonistas de esta receta

Ensalada de cebollas

Delante de la foto

Ingredientes para 8 personas:
1 kg de cebollas rojas y blancas
4 dientes de ajo
6 cucharadas de vinagre de vino tinto · 1 manojo de cebollino
½ cucharadita de pimienta negra recién molida y azúcar
8 cucharadas de aceite de oliva
4 rebanadas de pan de molde integral · 1 cucharadita de sal
2 cucharadas de mantequilla

Especialidad de los Balcanes

Por persona 760 kJ/180 kcal
5 g de proteínas · 7 g de grasas
24 g de hidratos de carbono

Tiempo de preparación: 50 min.

Pele las cebollas blancas y rojas, así como el diente de ajo, y córtelos en rodajas finísi-mas. Espolvoréelas con sal y déjelas reposar en un recipiente cubierto 30 min. ● Mezcle el vinagre, la pimienta y el azúcar y añada el aceite. ● Mezcle bien las cebollas y el ajo con la salsa. ● Tueste las rebanadas de pan y córtelas en daditos. Caliente la mantequilla en una sartén, eche en ella los dados de pan, fríalos hasta que estén dorados y crujientes y espárzalos sobre la ensalada.

Ensalada de tofu con judías

Detrás de la foto

Ingredientes para 8 personas:
400 g de tofu (queso de soja)
2 cucharadas de salsa de soja
2 pizcas de pimienta negra recién molida
500 g de judías verdes
300 g de pimientos amarillos o rojos · 250 g de champiñones
3 cucharadas de aceite de girasol
1,5 dl de crema de leche
3 cucharadas de vinagre de vino blanco · 2 escalonias
1 cucharada de salsa Worcester
1 cucharadita de pimentón dulce
2 cucharaditas de albahaca fresca picada o 1 de seca
500 g de tomates carnosos
2 cucharadas de crema de leche
1 cucharada de *petit-suisse*
2 cucharadas de perejil y
2 de cebollino picados

Receta integral

Por persona 920 kJ/220 kcal ·
8 g de proteínas · 15 g de grasas
13 g de hidratos de carbono

Tiempo de preparación: 45 min.
Tiempo de reposo: 1 hora

Corte el tofu en daditos de 2 cm de grosor y alíñelos con la salsa de soja y una pizca de pi-mienta. ● Prepare las judías, lávelas y póngalas a hervir cubiertas con agua 20 min. ● Prepare los pimientos, lávelos, cuartéelos a lo largo y luego transversalmente en tiras. Agregue éstas en el recipiente de las judías los últimos 2-3 min. de cocción. Deje escurrir las verduras. Prepare los champiñones, lávelos y córtelos en lonchas finas. Caliente el aceite en una sartén, añádale el tofu con la marinada y fríalo 5 min. Añada los champiñones y deje proseguir la cocción de 3 a 4 min. Vierta la crema de leche y muela pimienta por encima. Deje proseguir la cocción en el recipiente tapado 5 min. más. ● Mezcle los ingredientes preparados con el vinagre, la salsa Worcester, el pimentón y la albahaca. ● Deje reposar la ensalada 1 hora. ● Pele las escalonias, córtelas en rodajas finas, lave los tomates y trocéelos; agregue todos estos ingredientes, junto con la crema, el *petit-suisse* y las hierbas, a la ensalada.

Con muchas frutas y, sin embargo, picantes

Ideas poco corrientes que dan a su mesa un toque especial

Ensalada de queso con gambas

A la izquierda de la foto

Ingredientes para 8 personas:

400 g de queso de appenzeller o gouda, semiseco, en un trozo

3 peras maduras, pero firmes

2 cucharaditas de zumo de limón

200 g de gambas hervidas

1 vasito de yogur cremoso

1 cucharada de aceite de cártamo · 1 manojo de cebollino

3 cucharadas de zumo de limón

2 cucharadas de crema de leche

1 cucharada de *petit-Suisse*

2 cucharaditas de mostaza semifuerte

2 pizcas de sal y pimienta blanca recién molida · ½ lechuga

Rápida • Coste medio

Por persona 1 300 kJ/310 kcal · 19 g de proteínas · 18 g de grasas · 11 g de hidratos de carbono

Tiempo de preparación: 30 min.
Tiempo de reposo: 1 hora

Corte el queso en lonchas y después en tiras finas. • Lave las peras, séquelas, córtelas por la mitad y quíteles el corazón. Córtelas en daditos y rocíelas con el zumo de limón para que la pulpa no se oscurezca. Pele las gambas y añádalas a los restantes ingredientes de la ensalada. • Bata el yogur con el aceite, el zumo de limón, la crema de leche, el *petit-suisse* y la mostaza; sazone con la sal y la pimienta. Lave el cebollino, séquelo, córtelo en trocitos y mézclelos en la salsa. Rocíe los ingredientes de la ensalada con la salsa, mezcle y deje reposar en un recipiente tapado durante 1 hora, en un lugar frío. • Lave las hojas de la lechuga, séquelas y cubra con ellas una ensaladera grande. Coloque encima la ensalada de queso.

Ensalada servia

A la derecha de la foto

Ingredientes para 8 personas:

400 g de mayonesa (50 % de materia grasa)

4 cucharadas de zumo de limón

2 cucharaditas de mostaza semifuerte

½ cucharadita de azúcar

1 cucharadita de pimentón dulce

1 pizca de pimienta blanca

450 g de pepinillos agridulces

2 pimientos rojos

6 manzanas

6 plátanos

1 lechuga arrepollada

Rápida • Fácil

Por persona aproximadamente 1 800 kJ/430 kcal · 13 g de proteínas · 27 g de grasas · 42 g de hidratos de carbono

Tiempo de preparación: 40 minutos

Bata la mayonesa con el zumo de limón y la mostaza en un cuenco. Sazone con el azúcar, el pimentón y la pimienta. • Corte los pepinillos agridulces en tiras finas. Corte por la mitad los pimientos, quite los pedúnculos, membranas y semillas y lávelos. Córtelos en tiras y mézclelos con los pepinillos y la salsa. • Pele las manzanas, córtelas en 4 trozos y quíteles los corazones. Corte las manzanas, primero en rodajas gruesas y luego en tiras finas, y mézclelas con la ensalada. Pele los plátanos. Córtelos longitudinalmente y luego en rodajitas; mézclelos también con la ensalada. • Deshoje la lechuga, trócela, lávela y séquela. Ponga las hojas de la lechuga en una fuente y disponga la ensalada encima.

Ensalada de arroz al curry con mango

Con claras influencias de la cocina india

Ingredientes para 8 personas:
1 pollo de aproximadamente 1,5 kg
1 manojo de hierbas para el caldo
1 ½ l de agua
1 cucharadita de sal
1 cucharadita en grano de pimienta blanca
1 hoja de laurel
2 limones
3 cucharaditas de curry en polvo
300 g de arroz de grano largo
6 cucharadas de mayonesa (50 % de materia grasa)
2 cucharadas de vinagre de jerez
1 cucharada de crema de leche
1 cucharada de *petit-suisse*
1 pizca de pimienta blanca
1 cucharadita de toronjil picado
3-4 mangos maduros
2-3 ramitas de toronjil

Elaborada

Por persona aproximadamente
2 180 kJ/520 kcal · 34 g de
proteínas · 22 g de grasas · 52 g
de hidratos de carbono

Tiempo de preparación: 20 min.
Tiempo de reposo: 2 horas

Lave el pollo con agua fría. Lave el manojo de hierbas y píquelo no muy fino. Ponga a hervir agua con sal. Ponga en ella el
pollo con los granos de pimienta,
la hoja de laurel y las hierbas.
Cuézalo todo durante 45 minutos. • Retire el pollo del caldo y
déjelo enfriar. • Cuele el caldo y
póngalo a cocer de nuevo. Lave
los limones y córtelos en rodajas
finas, añádalos al caldo junto con
el curry en polvo y el arroz. Hierva el arroz de 20 a 30 minutos. •
Entretanto, pele, deshuese el pollo y corte la carne en trozos gruesos. • Deje escurrir el arroz. Mezcle la mayonesa, el vinagre, la
crema de leche, el *petit-suisse*, la
pimienta y el toronjil. Mezcle el
arroz, la carne de pollo y la salsa.
• Deje reposar la ensalada 2 horas. • Pele los mangos, corte la
pulpa en dados, mézclelos con la
ensalada y adorne con las ramitas
de toronjil.

Ensaladas con judías mantequeras

Para las personas de buen paladar que gustan de las judías blancas secas

Ensalada de judías con manzanas

A la izquierda de la foto

Ingredientes para 8 personas:
400 g de judías mantequeras
1 ½ l de agua · 3 escalonias
1 cucharadita de sal
2 cucharaditas de mostaza de Dijon · El zumo de 1 limón
2 cucharadas de crema de leche
2 cucharadas de *petit-suisse*
½ cucharadita de sal y ½ de pimienta negra recién molida
Azúcar y mejorana seca
3 escalonias
2 pepinillos agridulces en conserva · 4 huevos duros
2 manzanas ácidas grandes

Especialidad rusa

Por persona 1 300 kJ/310 kcal · 16 g de proteínas · 17 g de grasas · 21 g de hidratos de carbono

Tiempo de remojo: 12 horas

Tiempo de cocción: 1 ½ horas
Tiempo de reposo: 30 minutos
Tiempo de preparación: 35 min.

Lave el día anterior las judías blancas y póngalas a remojar. • Al día siguiente ponga a hervir las judías en el agua del remojo 1 ½ horas. Poco antes de concluir la cocción, eche la sal. Bata el zumo de limón con la mostaza, la crema, el *petit-suisse*, la sal, la pimienta, el azúcar y la mejorana. • Escurra las judías. Mézclelas con la salsa preparada cuando estén todavía calientes. Deje reposar las judías en un recipiente tapado 30 min. • Pele las escalonias y píquelas. Corte los pepinillos en daditos. • Pele las manzanas, cuartéelas, quíteles el corazón y córtelas en dados. Pele los huevos y píquelos. • Añada las escalonias, los pepinillos y los trozos de manzana a las judías y mézclelo todo. • Antes de servir esparza por encima los huevos picados.

Ensalada de judías y tomates

A la derecha de la foto

Ingredientes para 8 personas:
400 g de judías mantequeras
1 ½ l de agua
1 cucharadita de sal
3 tomates carnosos grandes
2 cebollas blancas grandes
2 dientes de ajo
5 cucharadas de vinagre balsámico
3 pizcas de azúcar, sal y pimienta blanca recién molida
6 cucharadas de aceite de oliva virgen
1 cucharadita de hojas de tomillo y salvia picadas
6 hojas de romero

Fácil · Económica

Por persona aproximadamente 1 010 kJ/240 kcal · 12 g de proteínas · 7 g de grasas · 33 g de hidratos de carbono

Tiempo de remojo: 12 horas
Tiempo de preparación: 1 ½ horas

Lave las judías el día anterior y póngalas a remojar en agua. • Al día siguiente hierva las judías en el agua del remojo durante 1 ½ horas. Añádale la sal al finalizar el tiempo de cocción. • Lave los tomates, cuartéelos, quíteles el pedúnculo y córtelos en rodajas finas. • Pele las cebollas y los dientes de ajo; corte las cebollas en anillos finos y pique bien los ajos. • Mezcle a fondo el vinagre, la sal, el azúcar y la pimienta; añada, batiendo, el aceite de oliva e incorpore las hierbas. • Deje escurrir las judías, póngalas en una fuente con los demás ingredientes y vierta la salsa por encima.

Ensaladas de arroz para fiestas en el jardín

Fáciles de preparar y muy populares

Ensalada de arroz con frutas

A la izquierda de la foto

Ingredientes para 8 personas:
400 g de arroz de grano largo
1 l de agua
1 cucharadita de sal
6 tallos de apio · 1 piña pequeña
2 naranjas · 3 endibias
1 manojo de albahaca
El zumo de 1 naranja sanguina
2 cucharadas de zumo de limón
4 cucharadas de aceite de maíz
1 yogur descremado
8 cucharadas de crema de leche espesa · 1 cucharadita de azúcar

Fácil

Por persona 1 390 kJ/330 kcal · 8 g de proteínas · 9 g de grasas · 61 g de hidratos de carbono

Tiempo de preparación: 50 min.
Tiempo de reposo: 30 minutos

Ponga a cocer el arroz en agua salada hirviendo y a fuego moderado en un recipiente de 15 a 20 minutos. • Quite las hebras gruesas del apio. Lave los tallos, séquelos y córtelos en rodajas. • Pele la piña, córtela longitudinalmente, quite el centro leñoso y trocee la pulpa en dados. • Pele las naranjas, quíteles la piel blanca, separe los gajos y córtelos por la mitad. Corte las hojas exteriores estropeadas de las endibias, lávelas, séquelas y corte una cuña en el extremo de la raíz. Corte el cogollo en tiras. • Lave la albahaca, séquela, retire los tallos y corte las hojas en tiras. • Bata el zumo de naranja con el de limón, el aceite y el yogur. Mezcle esta salsa con las frutas y el arroz, esparza la albahaca por encima y deje reposar la ensalada 30 minutos en un recipiente tapado. • Bata ligeramente la crema de leche con el azúcar y acompañe con ello la ensalada.

Ensalada de arroz con pimientos

A la derecha de la foto

Ingredientes para 8 personas:
400 g de arroz de grano largo
1 l de agua
1 cucharadita de sal
1 cebolla grande
3 pimientos verdes grandes
12 tallos de apio
8 cucharadas de vinagre al estragón
2 pizcas de pimienta negra
1 pizca de pimienta de Cayena
1 ½ cucharaditas de hojas de cilantro secas
¼ cucharadita de nuez moscada rallada
8 cucharadas de aceite de cártamo
300 g de anacardos

Rápida • Fácil

Por persona aproximadamente

2 010 kJ/480 kcal · 13 g de proteínas · 22 g de grasas · 61 g de hidratos de carbono

Tiempo de preparación: 40 minutos
Tiempo de reposo: 2 horas

Ponga a cocer el arroz en agua salada hirviendo de 15 a 20 minutos. • Pele la cebolla y píquela finamente. Corte por la mitad los pimientos, lávelos y córtelos en tiras finas. • Quite las hebras gruesas del apio, lave los tallos y córtelos en trozos de 1 cm de ancho. • Deje escurrir bien el arroz. • Mezcle el vinagre, la pimienta, la pimienta de Cayena, las hojas de cilantro secas y la nuez moscada e incorpore batiendo el aceite de cártamo. Mezcle esta salsa con el arroz y las verduras. • Deje reposar la ensalada unas 2 horas. Antes de servir agréguele los anacardos y rectifique la condimentación.

Ensaladas de patatas con y sin carne

Las ensaladas levantan el ánimo

Ensalada vegetariana de patatas

A la izquierda de la foto

Ingredientes para 8 personas:

2 hinojos medianos
2 cogollos de apio
6 patatas nuevas medianas hervidas · 2 endibias
200 g de queso gruyère
12 corazones de alcachofa en aceite · 200 g de setas en aceite
6 cucharadas de vinagre de vino
3 pizcas de sal y pimienta negra recién molida · 4 huevos duros
4-5 cucharadas de mayonesa
2 cucharaditas de alcaparras
8 anillos de anchoa
3 cucharadas de perejil picado

Fácil • Coste medio

Por persona 1 510 kJ/360 kcal · 20 g de proteínas · 17 g de grasas · 27 g de hidratos de carbono

Tiempo de preparación: 45 min.

Corte los tallos del hinojo y quítele las hojas externas estropeadas. Lave los bulbos, séquelos y córtelos en tiras finas. • Pele las patatas y córtelas en dados. • Separe las hojas externas estropeadas de las endibias, lave los cogollos y séquelos. Rebañe la cuña amarga del extremo de la raíz. Corte las endibias en tiras finas transversales. • Corte el queso en dados y corte por la mitad o cuartee los corazones de las alcachofas y las setas. • Prepare una salsa con el vinagre, la sal, la pimienta, la mayonesa y las alcaparras picadas. • Mezcle los ingredientes de la ensalada y la salsa. • Reparta la ensalada en platos, pele los huevos, píquelos finamente y espárzalos sobre la ensalada. • Adórnela con las anchoas y el perejil.

Ensalada de patatas con carne asada

A la derecha de la foto

Ingredientes para 8 personas:

1,5 kg de patatas nuevas
500 g de restos de asado (buey, ternera o cerdo)
400 g de apio nabo
3 zanahorias
3 pepinillos agridulces
3 cebollas
1 ramito de perejil
8 cucharadas de vinagre de vino
1 cucharadita de sal y pimienta negra recién molida
8 cucharadas de aceite de hierbas
2 huevos duros

Económica

Por persona 1 590 kJ/380 kcal · 23 g de proteínas · 14 g de grasas · 44 g de hidratos de carbono

Tiempo de preparación: 55 min.
Tiempo de reposo: 10 minutos

Lave las patatas y hiérvalas unos 30 minutos cubiertas con agua. • Corte la carne en dados. Pele el apio nabo, lávelo y córtelo, al igual que las zanahorias peladas en tiritas finas. Corte en daditos los pepinillos. Pele las cebollas y córtelas en rodajas. Lave el perejil y píquelo finamente. Mezcle el vinagre, la sal y la pimienta y añada el aceite removiendo. • Tire el agua de las patatas, pélelas y córtelas en rodajas. Mezcle las rodajas de patata con los ingredientes preparados. Aliñe la ensalada con la salsa y déjela reposar 10 minutos. Pele los huevos, píquelos finamente y espárzalos sobre la ensalada.

Deliciosas ensaladas con maíz y arroz

Con el sabor picante de la cocina oriental

Ensalada marroquí de naranjas

A la izquierda de la foto

Ingredientes para 8 personas:

2 tazas de arroz de grano largo

1 cucharadita de sal

1 l de agua · 8 naranjas medianas

3 cebollas blancas pequeñas

1 vaso de vino blanco

3 pizcas de sal

150 g de aceitunas rellenas de pimiento

6 cucharadas de vinagre

2 pizcas de pimienta negra

1 cucharada de raiforte rallado

1 pizca de azúcar

8 cucharadas de aceite

Rápida • Económica

Por persona 1 090 kJ/260 kcal · 4 g de proteínas · 6 g de grasas · 45 g de hidratos de carbono

Tiempo de preparación: 40 min.
Tiempo de reposo: 1 hora

Hierva el arroz en agua salada 15 minutos. • Pele las naranjas y quite también la membrana blanca. Separe los gajos, conservando el zumo que desprendan. • Pele las cebollas, córtelas por la mitad y luego en tiras finas. Ponga a hervir el vino blanco con ½ taza de agua y 1 pizca de sal y blanquee en él las cebollas 3 minutos. Escúrralas luego en un colador y reserve el líquido de cocción. • Ponga también el arroz a escurrir. • Corte por la mitad las aceitunas y mézclelas con el arroz, los gajos de naranja y la cebolla en una ensaladera grande. • Mezcle el vinagre con 2 pizcas de sal, la pimienta, el raiforte, el azúcar, 3-4 cucharadas del líquido de cocción de las cebollas, el zumo de naranja reservado y el aceite. • Mezcle delicadamente la salsa en la ensalada. • Déjela reposar 1 hora como mínimo.

Ensalada de maíz con aceitunas negras

A la derecha de la foto

Ingredientes para 8 personas:

200 g de judías blancas pequeñas · 1 l de agua

½ cucharadita de sal

400 g de maíz enlatado

250 g de cebollas tiernas

250 g de queso de oveja

1 manojo de perejil

1 taza de aceitunas negras

6 cucharadas de vinagre al estragón · 1-2 dientes de ajo

2 pizcas de sal y pimienta blanca recién molida

4 cucharadas de aceite

Fácil • Económica

Por persona 880 kJ/210 kcal · 7 g de proteínas · 13 g de grasas · 17 g de hidratos de carbono

Tiempo de remojo: 8 horas
Tiempo de preparación: 1 ¼ h.
Tiempo de reposo: 1 hora

Lave las judías y déjelas remojar toda la noche. • Al día siguiente, hierva las judías en el agua de remojo 1 hora. Sale a los 50 minutos de cocción. Luego deje escurrir las judías. • Ponga también a escurrir los granos de maíz. • Pele las cebollas y píquelas finamente. Corte el queso de oveja en pequeños trocitos. Lave el perejil, séquelo y píquelo muy finamente. • Deje escurrir las aceitunas y póngalas, junto con los demás ingredientes, en una ensaladera grande. • Pele los dientes de ajo, aplástelos con el prensaajos sobre un cuenco y mézclelos con el vinagre, la sal y la pimienta. Añada el aceite, bata la salsa y échela sobre la ensalada. • Mezcle bien la ensalada y déjela reposar 1 hora.

111

Ensalada de arenques para el resopón

Es una combinación sumamente apetitosa

Ensalada de arenques con patatas

A la izquierda de la foto

Ingredientes para 8 personas:

1,5 kg de patatas nuevas

6 filetes de arenques ligeramente salados · 2 cebollas

2 manzanas grandes ácidas

4 pepinillos en vinagre

1,2 dl de caldo de carne caliente

6 cucharadas de mayonesa

3 dl de crema de leche agria

4 cucharadas de vinagre de hierbas · 2 pizcas de azúcar

2 cucharaditas de raiforte rallado

1 cucharadita de sal y pimienta negra recién molida

1 ramillete de eneldo

Fácil

Por persona 2 010 kJ/480 kcal · 18 g de proteínas · 24 g de grasas · 45 g de hidratos de carbono

---

Tiempo de preparación: 45 min.
Tiempo de reposo: 30 minutos

Lave las patatas, póngalas a cocer cubiertas con agua unos 30 minutos. • Si es necesario desale en agua 30 minutos los filetes de arenque. Pele las manzanas, quite el corazón y córtelas en dados. Pele las cebollas y, junto con los pepinillos, trocéelas en dados pequeños. Escurra las patatas, déjelas enfriar, pélelas y córtelas en rodajas. • Seque ligeramente los filetes de arenque, trocéelos y mézclelos con las rodajas de patata, los dados de manzana, las cebollas, los pepinillos y el caldo. • Mezcle la mayonesa con la crema agria, el vinagre, el raiforte, la sal, la pimienta y el azúcar. Lave el eneldo, píquelo finamente y añádalo a la ensalada junto con la salsa. • Deje marinar 30 minutos la ensalada de arenques.

Ensalada roja de arenques

A la derecha de la foto

Ingredientes para 8 personas:

750 g de remolacha

12 filetes de arenque ligeramente salados · 500 g de ternera asada

500 g de jamón dulce en un trozo · 10 pepinillos

3 cucharadas de alcaparras pequeñas

6 cucharadas de mayonesa

3 cucharadas de vinagre de vino

2 cucharadas de ketchup

2 pizcas de sal y azúcar

1 cucharadita de pimienta recién molida · 3 huevos duros

Elaborada

Por persona 2 890 kJ/290 kcal · 50 g de proteínas · 50 g de grasas · 11 g de hidratos de carbono

---

Tiempo de preparación: ½ hora
Tiempo de marinada: 12 horas

Lave la remolacha. Póngala con 2 litros de agua de 40 a 80 minutos, según el tamaño de los bulbos. • Si es necesario desale los filetes de arenque durante 30 minutos. • Corte en dados la carne, el jamón y los pepinillos. Deje escurrir las alcaparras y mézclelas con los ingredientes ya troceados. • Seque los filetes de arenque, córtelos en tiras y añádalos. • Deje que las remolachas se enfríen un poco, pélelas, trocéelas y agréguelas a la ensaladera. • Mezcle la mayonesa con el vinagre, el ketchup, la sal, el azúcar y la pimienta y aliñe con ello la ensalada. • Deje marinar la ensalada, tapada, toda la noche. Antes de servir sazone bien una vez más la ensalada. Pele los huevos, córtelos en gajos y adorne con ellos la ensalada antes de llevarla a la mesa.

Ensaladas superfáciles

Las judías arriñonadas y de soja llenan y son sabrosas

Ensalada de patatas con judías arriñonadas

A la izquierda de la foto

Ingredientes para 8 personas:
1,5 kg de patatas nuevas
¾ l de agua
1 cucharadita de sal
2 latas de judías arriñonadas (de 500 g cada una)
300 g de queso emmental en un trozo · 2 cebollas
1,2 dl de vinagre de hierbas
1 pizca de sal y pimienta negra recién molida
1 cucharada de hojas de mejorana
9 cucharadas de aceite de girasol
100 g de tocino ahumado entreverado

Fácil • Económica

Por persona 1 890 kJ/450 kcal · 19 g de proteínas · 24 g de grasas · 21 g de hidratos de carbono

Tiempo de preparación: 55 min.
Tiempo de reposo: 1 hora

Lave las patatas bajo el agua corriente y déjelas cocer en agua salada 30 minutos aproximadamente. Tire el agua, deje enfriar las patatas, séquelas, pélelas y córtelas en dados. Escurra las judías. • Corte el queso en dados pequeños y mézclelo con las patatas y las judías. • Pele las cebollas, píquelas finamente y mézclelas con el vinagre, la sal, la mejorana y 8 cucharadas de aceite de girasol. Vierta esta salsa sobre las patatas, las judías y el queso, mezclando bien todos los ingredientes. • Deje reposar la ensalada durante 1 hora. • Corte el tocino en trocitos y fríalo en 1 cucharada de aceite hasta que esté dorado. • Esparza los trocitos de tocino frito sobre la ensalada.

Ensalada de judías de soja y pimientos

A la derecha de la foto

Ingredientes para 8 personas:
300 g de judías de soja amarillas
400 g de pimiento verde
1 cucharadita de sal
400 g de manzanas ácidas
3 cebollas rojas
500 g de yogur cremoso
6 cucharadas de aceite de oliva y vinagre de jerez
1 cucharada de salsa de soja
3 cucharaditas de pimentón dulce · 1 ½ de sal marina
2-3 pizcas de pimienta negra recién molida

Receta integral

Por persona 1 220 kJ/290 kcal · 17 g de proteínas · 13 g de grasas · 25 g de hidratos de carbono

Tiempo de remojo: 2 horas
Tiempo de cocción: 2 horas
Tiempo de preparación: 30 min.
Tiempo de reposo: 20 minutos

Deje remojar las judías de soja toda la noche. Cueza las judías en la misma agua 2 horas, o hasta que estén tiernas, y déjelas luego escurrir. • Lave los pimientos, córtelos en sentido longitudinal, quíteles el pedúnculo, las semillas y las membranas y luego córtelos en tiras finas. Blanquee las tiras de pimiento en agua hirviendo salada 30 segundos y déjelas escurrir. • Lave las manzanas, séquelas, quíteles el corazón y córtelas luego en dados. • Pele las cebollas, córtelas por la mitad y luego en sentido transversal en rodajas finas. • Bata el yogur con el aceite, el vinagre, la salsa de soja y el pimentón y mezcle la salsa con los demás ingredientes en una ensaladera. Sazone la ensalada con la sal marina y la pimienta y déjela reposar 20 minutos como mínimo.

113

Ensalada Judic

Puramente vegetariana, con un variado surtido de hortalizas

Ingredientes para 8 personas:

2 kg de patatas nuevas

500 g de zanahorias

1 coliflor pequeña

400 g de coles de Bruselas pequeñas

½ l de leche

½ l de agua

400 g de judías verdes

1 pizca de sal

2 remolachas medianas

5 cucharadas de alcaparras

2 cebollas

3-4 cucharadas de vinagre de vino blanco

1 cucharadita de sal

½ cucharadita de pimienta blanca

6 cucharadas de aceite de oliva

1 ramillete de estragón y perifollo

2 ramilletes de cebollinos

Receta clásica

Por persona 1 680 kJ/400 kcal · 15 g de proteínas · 7 g de grasas · 68 g de hidratos de carbono

Tiempo de preparación: 1 hora

Lave las patatas bajo el chorro del agua y déjelas hervir cubiertas con agua y a fuego lento durante 30 minutos. • Pele las zanahorias, lávelas y córtelas en dados. • Separe los ramitos de la coliflor, lávelos y póngalos a escurrir. Emplee los troncos para hacer una sopa. • Prepare las coles de Bruselas, lávelas y séquelas. Corte por la mitad las de mayor tamaño. • Hierva las coles y la coliflor 15 minutos con la leche y el agua. • Lave las judías verdes y déjelas cocer, apenas cubiertas de agua salada unos 15 minutos. • Escurra las verduras hervidas. Limpie bajo el grifo las remolachas, pélelas y rállelas. Pique las alcaparras. Pele las cebollas y córtelas en trocitos pequeños. • Escurra las patatas, déjelas enfriar, pélelas y córtelas en dados. • Mezcle el vinagre de vino blanco con las alcaparras, la cebolla, la sal y la pimienta y vaya añadiendo el aceite de oliva. • Mezcle las patatas con las verduras, la remolacha y la salsa. • Lave las hierbas, píquelas finamente y espolvoréelas sobre la ensalada.

Ensalada de confetis

Para los próximos carnavales

Ensalada de arroz y verduras

Una ensalada primaveral fresca y crujiente

Ingredientes para 8 personas:

400 g de arroz de grano redondo
1 l de agua · 4 pimientos rojos
½ cucharadita de sal
275 g de maíz enlatado
4 zanahorias · 2 pizcas de sal
400 g de guisantes congelados
300 g de queso gouda en un trozo
3 cebollas · 1 diente de ajo
3 calabacines pequeños
6 cucharadas de vinagre de frutas
1 cucharadita de sal y pimienta blanca
6 cucharadas de aceite de semillas · 1 ramillete de cebollino

Económica • Fácil

Por persona 2 100 kJ/500 kcal · 21 g de proteínas · 17 g de grasas · 68 g de hidratos de carbono

Tiempo de preparación: 40 min.
Tiempo de reposo: 30 minutos

Lave a fondo el arroz. Hierva el agua con la sal, eche el arroz y déjelo cocer 20 min. a fuego lento. • Deje escurrir los granos de maíz. • Corte por la mitad los pimientos, retíreles tallos, membranas y semillas, lávelos, séquelos y córtelos en dados. • Pele las zanahorias, lávelas, córtelas en daditos y póngalas a cocer en agua salada 10 min. Pasados 5 min., añada los guisantes y déjelos cocer con las zanahorias. • Corte el queso gouda en daditos. • Pele la cebolla y el diente de ajo y píquelos. • Limpie los calabacines, lávelos, séquelos y córtelos en daditos. • Mezcle el vinagre con la sal y la pimienta y añada el aceite, removiendo. • Deje escurrir y enfriar el arroz y mézclelo con los ingredientes, antes preparados, y la salsa. • Deje reposar la ensalada, tapada, durante 30 min. Pique finamente el cebollino y espolvoréelo por encima.

Ingredientes para 8 personas:

400 g de arroz de grano largo
1 l de agua
½ cucharadita de sal
3 zanahorias
200 g de queso emmental en un trozo · 300 g de apio
1 manojo de cebollas tiernas
5 cucharadas de mayonesa (50 % de materia grasa)
2 yogures (300 g)
4 cucharadas de vinagre de vino blanco
1 cucharadita de sal de hierbas y pimienta blanca recién molida
1 pizca de pimienta de Cayena
1 ramillete de eneldo, perejil y cebollino
Unas hojas de lechuga

Económica • Fácil

Por persona aproximadamente 1 510 kJ/360 kcal · 14 g de proteínas · 13 g de grasas · 51 g de hidratos de carbono

Tiempo de preparación: 45 minutos

Eche el arroz en el agua hirviendo salada y déjelo cocer a fuego lento 20 minutos. • Pele las zanahorias, lávelas y póngalas a cocer con el arroz 15 minutos. • Corte el queso en tiras finas. • Si es necesario, quite las hebras de los tallos de apio, lávelos, séquelos y córtelos en rodajas finas. Pique finamente unas hojitas de apio. Prepare las cebollas tiernas, lávelas, retire las raíces y córtelas luego en anillos. • Corte las zanahorias en rodajitas. Deje escurrir y enfriar el arroz. Mezcle la mayonesa con el yogur, el vinagre, la sal, la pimienta y la pimienta de Cayena. Lave las hierbas con agua fría, séquelas, píquelas y añádalas junto con las hojas de apio a la salsa de yogur. Mezcle el arroz con los ingredientes ya preparados. Lave la lechuga y disponga la ensalada sobre ella.

Pescado y arroz: una buena combinación

Ensaladas para una reunión de gastrónomos

Ensalada de pescado

Delante de la foto

Ingredientes para 8 personas:

1,5 kg de bacalao fresco
2 cucharadas de zumo de limón
¼ l de agua · 2 ramitas de perejil
½ hoja de laurel · 2 pizcas de sal
½ cucharadita de pimienta
blanca en granos
125 g de arroz de grano largo
3,5 dl de caldo de ave
El zumo de 1 lima o limón
1,5 dl de crema de leche
2 petit-suisse · 1 mango maduro
2 cucharaditas de raiforte rallado
1 pizca de pimienta blanca recién
molida · 1 cucharadita de azúcar
300 g de gambas hervidas
300 g de pescado ahumado al
gusto · Unas hojas de lechuga
1 cucharadita de pimienta rosa
en grano
Unas ramitas de toronjil

Coste medio • Fácil

Por persona 2 310 kJ/550 kcal · 50 g de proteínas · 27 g de grasas · 24 g de hidratos de carbono

Tiempo de preparación: 50 min.

Lave el bacalao y rocíelo con el zumo de limón. Ponga a hervir el agua con el perejil, el laurel, la sal y la pimienta. Escalfe el pescado, cubierto y a fuego lento, 15-20 min. • Cueza el arroz 20 min. en el caldo de ave y déjelo escurrir. • Pele el mango y hágalo puré. Mezcle el zumo de lima, la crema, el *petit-suisse* y el raiforte con un poco del líquido de cocción del pescado hasta obtener una salsa espesa, que luego sazonará con el azúcar y la pimienta. • Corte el pescado en trozos pequeños, pele las gambas, corte en tiras finas el pescado ahumado y mézclelo todo con el arroz. • Disponga la ensalada sobre las hojas de lechuga y vierta la salsa por encima. Adorne con la pimienta rosa y el toronjil.

Ensalada de arroz integral con pescado

Detrás de la foto

Ingredientes para 8 personas:

200 g de arroz integral
2 cucharaditas de cubito de caldo
de verduras · ½ l de agua
750 g de filetes de bacalao
1 cucharada de zumo de limón
1 cucharadita de sal
500 g de apio nabo · 1 l de agua
1 cucharadita de sal
2 yemas de huevo
1 cucharada de salsa de soja ·
1 de mostaza · 1 de miel
½ cucharadita de curry
4 cucharadas de aceite de
cártamo · 400 g de piña
½ l de crema de leche agria
2 cucharadas de cebollino y
eneldo finamente picados

Receta integral

Por persona 1 800 kJ/430 kcal · 27 g de proteínas · 20 g de grasas · 36 g de hidratos de carbono

Tiempo de preparación: 1 hora
Tiempo de reposo: 20 minutos

Ponga a hervir el arroz con el agua y el cubito durante 20 minutos. Lave el pescado, colóquelo sobre el arroz al cabo de 5 minutos de cocción, rocíelo con el zumo de limón, sálelo y deje cocer 15 minutos más a fuego lento. Deje enfriar el arroz, trocee el pescado y quite las posibles espinas. • Pele el apio nabo, lávelo y córtelo en tiras pequeñas; póngalas a escaldar 2 minutos en agua salada. • Mezcle las yemas de huevo con la salsa de soja, la mostaza, la miel, la pimienta y el curry y añada después el aceite poco a poco. Mezcle la mitad de la crema agria con la salsa y los ingredientes preparados. • Deje reposar la ensalada 20 minutos. Corte la piña en dados y mézclelos con el resto de la crema agria, las hierbas y la ensalada.

116

Ensaladas de patatas con sabor y fantasía

Patatas en interesante compañía

Ensalada de patatas con calabaza

A la izquierda de la foto

Ingredientes para 8 personas:

1 kg de patatas nuevas

400 g de calabaza enlatada o hervida

400 g de gambas hervidas

2 manzanas ácidas

6 escalonias

El zumo de 1 limón

1 taza de caldo de ave caliente

4 dl de crema de leche agria

3 cucharadas de punta de eneldo

2 pizcas de sal

1 manojo de berros

Coste medio • Fácil

Por persona aproximadamente 1 380 kJ/330 kcal · 15 g de proteínas · 14 g de grasas · 34 g de hidratos de carbono

Tiempo de preparación: 55 minutos
Tiempo de reposo: 30 minutos

Lave las patatas bajo el chorro del agua fría y póngalas a cocer de 25 a 30 minutos cubiertas con agua. • Escurra los trozos de calabaza. Pele las gambas y déjelas aparte. Pele las manzanas, quíteles el corazón y trocéelas. Pele las escalonias y píquelas finamente. • Mezcle el zumo de limón con el caldo de ave, la crema agria y las puntas de eneldo. • Escurra las patatas, déjelas enfriar un poco, pélelas y córtelas en rodajas. Mezcle las patatas con las gambas, la calabaza, los trozos de manzana, las escalonias y la salsa. Sale la ensalada. • Lave los berros, córtelos en trozos pequeños y añádalos a la ensalada. Tápela y déjela reposar 30 minutos a la temperatura ambiente.

Ensalada de patatas con maíz

A la derecha de la foto

Ingredientes para 8 personas:

2 kg de patatas nuevas pequeñas

3 cebollas medianas

¼ l de caldo de carne

4 cucharaditas de azúcar

½ cucharadita de sal

1 pizca de pimienta blanca recién molida · 1,2 dl. de vinagre

2 cucharadas de mayonesa (50 % de materia grasa)

300 g de maíz enlatado

300 g de guisantes (frescos o congelados) · 2 pimientos rojos

1 ramillete de eneldo y perejil

Económica • Fácil

Por persona 840 kJ/200 kcal · 7 g de proteínas · 6 g de grasas · 29 g de hidratos de carbono

Tiempo de preparación: 50 min.
Tiempo de reposo: 1 hora
Tiempo de elaboración: 15 min.

Lave las patatas y déjelas cocer cubiertas con agua de 20 a 25 minutos. • Pele las cebollas, córtelas en trocitos pequeños y póngalas a hervir junto con el caldo, el vinagre, 3 cucharaditas de azúcar, la sal y la pimienta. • Mezcle la mayonesa con la crema agria, la mostaza, el zumo de limón y 1 cucharadita de azúcar. • Pele las patatas, córtelas en rodajas, rocíelas con el caldo de vinagre caliente y déjelas reposar 1 hora. • Deje escurrir el maíz. Lave los guisantes con agua fría si son frescos y con agua caliente si son congelados y déjelos escurrir. Corte los pimientos por la mitad, quíteles las semillas, lávelos y córtelos en trozos. Lave bajo el grifo el eneldo y el perejil, séquelos y píquelos. Mezcle las verduras, las hierbas y la salsa con las patatas.

Ensalada de lechuga iceberg con pollo y salsa de mango

Una ensalada de la que no sobra nada

Ingredientes para 8 personas:
1 pechuga de pollo de 300 g aproximadamente
¼ l de agua
½ cucharadita de sal
2 pizcas de pimienta blanca recién molida
1 hoja de laurel pequeña
1 lechuga iceberg
2 rodajas de piña natural
400 g de apio
2 cucharadas de nueces
4 cucharadas de mayonesa (50 % de materia grasa)
6 cucharadas de salsa de mango (producto comercial)
2 dl de crema de leche
1 *petit-suisse* grande
1 pizca de sal
1 cucharadita de zumo de limón
Salsa Worcester

Fácil • Económica

Por persona aproximadamente 840 kJ/200 kcal · 11 g de proteínas · 13 g de grasas · 12 g de hidratos de carbono

Tiempo de preparación: 50 min.

Lave la pechuga de pollo y póngala a cocer en el agua salada 15 minutos a fuego lento junto con 1 pizca de pimienta y el laurel. • Mientras tanto, retire de la lechuga las hojas estropeadas exteriores y arranque las demás. Lave las hojas de lechuga y sacúdalas para que se desprenda el agua. Corte las hojas en trozos pequeños. • Pele las rodajas de piña y quite el centro duro y leñoso. Corte la piña en trocitos. • Si es necesario, retire al apio las hebras longitudinales, lávelo, séquelo y córtelo en tiras. • Trocee las nueces. • Saque la pechuga de pollo del caldo de cocción y quítele la piel y el hueso. Corte la carne en dados y aún templada mézclela con los demás ingredientes. • Prepare una salsa con la mayonesa, el zumo de mango, la crema, el *petit-suisse,* la pimienta, la sal y el zumo de limón y sazónela bien con salsa Worcester. Vierta la salsa sobre los ingredientes de la ensalada y mezcle cuidadosamente. Deje reposar la ensalada un rato.

Ensaladas para fiestas familiares

En ocasiones especiales conviene ofrecer algo diferente

Ensalada fin de año

A la izquierda de la foto

Ingredientes para 8 personas:
6 filetes de arenque ligeramente salados · 250 g de apio nabo
1 hoja de laurel · 1 pizca de sal
400 g de carne de buey cocida
500 g de patatas hervidas con su piel · 1 cucharadita de vinagre
250 g de remolacha enlatada
2 pepinillos · 2 cebollas
1 manzana ácida grande
250 g de mayonesa
3 dl de crema de leche agria
2 pizcas de sal y pimienta blanca recién molida
1 cucharadita de mostaza semifuerte · 3 huevos duros
Unas hojas de lechuga arrepollada · 1 ramillete de perejil

Elaborada

Por persona 3 500 kJ/830 kcal ·
45 g de proteínas · 62 g de grasas · 27 g de hidratos de carbono

Tiempo de remojo: 1 hora
Tiempo de preparación: 1 hora
Tiempo de reposo: 3 a 4 horas

Ponga a remojar 1 hora los filetes de arenque. • Pele el apio nabo, lávelo y póngalo a cocer con el laurel y la sal 20 min. • Corte en dados pequeños la carne de buey, las patatas peladas, la remolacha y los pepinillos. • Pele y pique las cebollas. • Pele la manzana, córtela por la mitad, quítele el corazón y trocéela. Escurra el apio nabo y córtelo en dados. • Seque los filetes de arenque y córtelos en tiras pequeñas. • Mezcle los ingredientes de la ensalada con la mayonesa, la crema agria, el vinagre, la sal, la pimienta y la mostaza y deje reposar 3 ó 4 horas. • Pele los huevos y córtelos en octavos. Disponga la ensalada sobre las hojas de lechuga y adórnela con los huevos y el perejil.

Ensalada belga de huevos

A la derecha de la foto

Ingredientes para 8 personas:
200 g de mayonesa (50 % de materia grasa)
2 cucharaditas de tomate concentrado
3 cucharadas de zumo de limón
6-8 cucharadas de agua
1 cebolla pequeña
2 pizcas de sal y pimienta
½ cucharadita de azúcar
8 patatas medianas cocidas con su piel
2 pepinillos
2 manzanas
4 endibias medianas
1 manojo de rabanitos
10 huevos duros

Económica • Fácil

Por persona aproximadamente 1 890 kJ/450 kcal · 20 g de
proteínas · 28 g de grasas · 32 g de hidratos de carbono

Tiempo de preparación: 50 minutos
Tiempo de reposo: 1 hora

Mezcle la mayonesa con el tomate concentrado, el zumo de limón y el agua. Pele la cebolla y rállela sobre la salsa. Sazone ésta con la sal, la pimienta y el azúcar. • Pele las patatas y córtelas en dados de 1 cm. • Pique los pepinillos, pele las manzanas, quíteles el corazón y córtelas en rodajas. • Mezcle las patatas, los pepinillos y las manzanas con la salsa y deje reposar la ensalada 1 hora. • Lave las endibias, recorte las bases, corte los extremos de las hojas y en tiras el resto de las mismas. • Lave los rabanitos y trocéelos. • Pele los huevos y córtelos en octavos. • Mezcle la ensalada con las tiras de endibia y los rabanitos y adórnela con los huevos y los extremos de las endibias.

Ensaladas que alegran la vista

Placeres exóticos: a los que ningún invitado puede resistirse.

Ensalada de champiñones en melón

A la izquierda de la foto

Ingredientes para 8 personas:

300 g de guisantes congelados
400 g de champiñones
200 g de jamón ahumado
4 melones cantalupos
5 cucharadas de zumo de limón
1 cucharadita de sal
2 pizcas de pimienta blanca recién molida y azúcar
2 cucharadas de jerez seco
4 cucharadas de aceite de semillas
2 cucharadas de pimienta verde enlatada

Fácil

Por persona 920 kJ/220 kcal · 9 g de proteínas · 13 g de grasas · 16 g de hidratos de carbono

Tiempo de preparación: 30 min.

Hierva los guisantes en 1 taza de agua 15 min. y después escúrralos. • Prepare los champiñones, lávelos, séquelos y córtelos en lonchas finas. • Corte en tiras el jamón ahumado. • Corte por la mitad los melones, quite las pepitas y corte la carne en bolitas. • Mezcle el zumo de limón con la sal, la pimienta, el azúcar, el jerez y el aceite. Mezcle los guisantes, ya fríos, con los ingredientes preparados, la salsa y la pimienta verde. • Disponga la ensalada en las mitades de melón, tápelas y déjelas reposar en el frigorífico hasta el momento de servir.

Ensalada de gambas

A la derecha de la foto

Ingredientes para 8 personas:

1 cogollo pequeño de lechuga iceberg, 1 de endibia roja de Verona y 1 de lechuga romana
½ pepino · 2 cebollas tiernas
300 g de tomates pequeños dulces · 5 tallos de apio
100 g de champiñones pequeños
2 naranjas medianas
1 lata de lichis (280 g)
400 g de gambas hervidas
3 dl de crema de leche agria
6 cucharadas de mayonesa
4 cucharadas de vinagre de hierbas · ½ cucharadita de sal
2 cucharadas de ketchup
2 pizcas de pimienta blanca recién molida
1 pizca de pimienta de Cayena
2 ramilletes de eneldo

Coste medio

Por persona 920 kJ/220 kcal · 14 g de proteínas · 9 g de grasas · 21 g de hidratos de carbono

Tiempo de preparación: 1 hora

Lave las hojas y sacúdalas el agua. Trocee la lechuga iceberg y corte en tiras las hojas de la endibia roja y la lechuga romana. • Pele el pepino y córtelo en rodajas delgadas. • Lave los tomates, retire el pedúnculo y córtelos en octavos. • Lave el apio, quítele las hebras y corte los tallos en tiras. • Prepare y lave las cebollas y los champiñones y córtelos en rodajas. • Pele las naranjas y separe los gajos. • Ponga todos los ingredientes preparados en una ensaladera grande. Ponga a escurrir los lichis. Pártalos por la mitad y añádalos, junto con las gambas peladas, a la ensalada. • Mezcle bien la crema agria, el vinagre, el ketchup, la mayonesa, la sal, la pimienta y la pimienta de Cayena. Lave el eneldo y píquelo finamente, luego agréguelo a la salsa. Sazone ésta con un poco del líquido de los lichis y mézclela con la ensalada. Sirva la ensalada de gambas con pan crujiente y mantequilla.

Ensalada de patatas y huevos a la crema de arenques

Apropiada para el miércoles de ceniza

Ingredientes para 8 personas:
1 kg de patatas nuevas
10 huevos
4 filetes de arenques ligeramente salados
300 g de requesón (20 % de materia grasa)
¼ l de crema de leche
2 pizcas de sal
1 cucharadita de pimienta blanca recién molida
1 ramillete de cebollino

Económica • Fácil

Por persona aproximadamente
2 600 kJ/620 kcal · 33 g de
proteínas · 44 g de grasas · 25 g
de hidratos de carbono

Tiempo de preparación: 1 hora
Tiempo de reposo: 30 minutos

L ave las patatas bajo el grifo y
póngalas a cocer durante 30
minutos cubiertas con agua. •
Pinche los huevos con una aguja
en su extremo redondeado, sumérjalos en agua en ebullición y
déjelos cocer 8 minutos. Luego
enfríelos en agua. • Reduzca a
puré los filetes de arenque en la
batidora eléctrica y mézclelos con
el requesón, la crema de leche, la
sal y la pimienta. • Escurra las patatas, déjelas enfriar, pélelas, córtelas en rodajas y mézclelas con la
crema de arenques. • Pele los
huevos, córtelos en octavos y
añádalos a la ensalada de patatas.
• Lave los cebollinos, séquelos,
píquelos finamente y espolvoréelos sobre la ensalada. • Deje reposar la ensalada, tapada, durante 30 minutos.

<u>Nuestra sugerencia</u>: Si prepara la
ensalada unas horas antes, debe
añadir los huevos momentos antes de servirla y también, como es
lógico, espolvorear el cebollino.

Ensaladas de pasta llenas de imaginación, gracia y sabor

Estas ensaladas aportan variedad en el buffet de las reuniones festivas

Ensalada de pasta integral

A la izquierda de la foto

Ingredientes para 8 personas:
10 cápsulas de cardamomo
2 cucharaditas de sal
300 g de espirales integrales
75 g de sésamo sin descascarar
2 dl de crema de leche
4 cucharadas de zumo de limón
2 cucharadas de aceite de sésamo y 2 de salsa de soja
2-3 cucharaditas de curry en polvo · 2 l de agua
½ cucharadita de cúrcuma
½ cucharadita de pimienta blanca recién molida
1,5 kg de piña · 6 plátanos (750 g)
3 cucharadas de cebollino picado

Receta integral • Rápida

Por persona 2 020 kJ/480 kcal · 10 g de proteínas · 18 g de grasas · 65 g de hidratos de carbono

Tiempo de preparación: 40 min.
Tiempo de reposo: 10 minutos

Abra las cápsulas de cardamomo y póngalas a hervir en agua salada. Hierva la pasta en esta agua 12-15 min., escúrrala y déjela enfriar. • Entretanto, tueste las semillas de sésamo en una sartén seca hasta que comiencen a saltar y a desprender un aroma agradable y déjelas aparte. • Mezcle la crema de leche con el zumo de limón, el aceite, la salsa de soja, el curry, la cúrcuma y la pimienta para obtener la salsa de la ensalada. • Unos 20 min. antes de servir pele las piñas, córtelas en 4 partes a lo largo, quite el centro duro y leñoso y trocéelas en dados. • Pele los plátanos y córtelos en rodajas gruesas. • Mezcle la pasta ya escurrida con los dados de piña, las rodajas de plátano, las semillas de sésamo, la salsa y el cebollino picado. Deje reposar la ensalada 10 min.

Ensalada de pasta de soja

A la derecha de la foto

Ingredientes para 8 personas:
250 g de judías pintas
1 hoja de laurel · 2 l de agua
1 cucharada de cubito de caldo de verduras
250 g de espaguetis de soja
½ cucharadita de sal
250 g de cebolla roja y 250 g de salami
1,2 dl de vinagre de vino tinto
2 cucharaditas de sal marina y 2 de pimentón dulce
1 cucharadita de pimienta negra recién molida
1,2 dl de aceite de oliva
2 cucharadas de perejil picado

Rápida

Por persona aproximadamente 1 390 kJ/330 kcal · 12 g de proteínas · 21 g de grasas · 27 g de hidratos de carbono

Tiempo de remojo: 12 horas
Tiempo de preparación: 40 min.
Tiempo de reposo: 10 minutos

Deje remojar las judías toda la noche en 1 l de agua. Cuézalas en la misma agua con la hoja de laurel y el cubito 30 minutos aproximadamente, déjelas escurrir después y retire el laurel. • Entretanto, ponga a hervir la pasta en agua salada en ebullición de 10 a 15 minutos, escúrrala luego, rocíela con un poco de agua fría y déjela escurrir. • Pele las cebollas, córtelas por la mitad a lo largo y luego en rodajas finas a lo ancho. Corte el salami en tiras finas. • Mezcle el vinagre con la sal marina, el pimentón y la pimienta y añada el aceite de oliva. Mezcle los ingredientes con la salsa. • Deje reposar la ensalada 10 minutos. Antes de servir agregue el perejil.

Ensaladas con pasta

Para amantes de la pasta, pequeños o grandes

Ensalada danesa de coditos

A la izquierda de la foto

Ingredientes para 8 personas:
400 g de coditos u otra pasta similar · 5 zanahorias
2 ½ cucharaditas de sal
2 cucharadas de aceite
5 zanahorias
250 g de apio nabo
500 g de guisantes congelados
500 g de jamón dulce en un trozo · 1 piña grande
3 cebollas · 400 g de mayonesa
6 cucharadas de zumo de limón
3 pizcas de sal y pimienta blanca recién molida
Unas gotas de salsa Worcester
4 cucharadas de cebollino picado

Fácil • Económica

Por persona 3 320 kJ/790 kcal · 26 g de proteínas · 41 g de grasas · 76 g de hidratos de carbono

Tiempo de preparación: 55 min.
Tiempo de reposo: 1 hora

Hierva la pasta en 4 l de agua con 2 cucharaditas de sal y el aceite, de 10 a 12 minutos, y luego escúrrala. • Pele las zanahorias y el apio nabo, lávelos y cuézalos 15 minutos con ½ cucharadita de sal y poca agua. Escúrralos; corte las zanahorias en rodajitas y el apio nabo en dados pequeños. • Dé un hervor a los guisantes congelados en el agua de estas verduras y escúrrralos. • Corte en dados el jamón dulce. • Pele la piña, quite el centro duro fibroso y córtela en trozos pequeños. Conserve el zumo que se desprenda. • Pele las cebollas, píquelas finamente y mézclelas con los demás ingredientes. • Mezcle la mayonesa con los zumos de piña y de limón, la sal, la pimienta y unas gotas de salsa Worcester; añada el cebollino y mezcle con la ensalada. Déjela reposar 1 hora.

Ensalada de espaguetis verdes

A la derecha de la foto

Ingredientes para 8 personas:
4 l de agua
2 cucharaditas de sal
500 g de espaguetis verdes
8-10 cucharadas de hierbas recién picadas, como perejil, perifollo, toronjil y pimpinela
8 cucharadas de vinagre al estragón
8-10 cucharadas de aceite de oliva
4 dientes de ajo · 4 escalonias
100 g de queso parmesano recién rallado
½ cucharadita de pimienta blanca recién molida
100 g de piñones

Fácil • Rápida

Por persona 1 800 kJ/430 kcal · 16 g de proteínas · 17 g de grasas · 51 g de hidratos de carbono

Tiempo de preparación: 15 min.
Tiempo de reposo: 1 hora

Ponga a hervir el agua con la sal. Corte los espaguetis con las tijeras en trozos de 8 cm aproximadamente, échelos en el agua y déjelos cocer unos 8 minutos. Escúrralos a continuación. • Lave las hierbas, despójelas de los tallos y tritúrelas en la batidora hasta obtener un puré junto con el vinagre y el aceite. • Pele los dientes de ajo y las escalonias, píquelos finamente y añádalos al puré de hierbas. Incorpore removiendo el queso parmesano y sazone con la pimienta. • Mezcle este puré con la pasta escurrida y los piñones y deje reposar la ensalada 1 hora. • Disponga la ensalada de espaguetis en una fuente y acompáñela con albóndigas o filetes de ternera si lo desea.

De conchas y espirales de pastas

Ideas con pastas que pueden realizarse rápidamente

Ensalada italiana de pasta

A la izquierda de la foto

Ingredientes para 8 personas:

4 l de agua

2 cucharaditas de sal

400 g de espirales blancos y verdes · 1 kg de tomates

500 g de asado de ternera frío

2 cucharadas de alcaparras

2 cucharadas de piñones

2 ramilletes de albahaca

8 cucharadas de mayonesa (50 % de materia grasa)

2 cucharadas de vinagre de vino tinto · 2 yogures cremosos

1 cucharadita de sal y pimienta negra recién molida

Fácil • Coste medio

Por persona 1 510 kJ/360 kcal · 23 g de proteínas · 11 g de grasas · 43 g de hidratos de carbono

---

Tiempo de preparación: 50 min.

Ponga a hervir el agua con la sal. Cueza en ella la pasta unos 8 minutos «al dente», escúrrala después, enjuáguela con agua fría y déjela escurrir de nuevo. • Haga una incisión en los tomates en forma de cruz en la zona opuesta al tallo, escáldelos brevemente en agua hirviendo, córtelos por la mitad y pélelos tras quitar los pedúnculos. Trocéelos a continuación. • Corte también en dados el asado de ternera y mézclelo con las alcaparras, los piñones, el tomate y la pasta. • Lave la albahaca, séquela y córtela en tiras; reserve unas hojas para adornar. Mezcle la albahaca con la mayonesa, el vinagre, el yogur, la sal y la pimienta. • Aliñe la ensalada con esta salsa y sírvala adornada con las hojas de albahaca.

Ensalada de pasta con salami y queso

A la derecha de la foto

Ingredientes para 8 personas:

4 l de agua · 2 pimientos rojos

2 cucharaditas de sal

400 g de conchas

300 g de queso danés en un trozo · 4 huevos duros

200 g de salami en lonchas finas

2 manojos de rabanitos

6 cucharadas de vinagre de vino tinto

1 cucharadita de sal

1 cucharadita de pimienta negra recién molida

½ cucharadita de pimentón

5 cucharadas de aceite de oliva

Económica • Fácil

Por persona 2 310 kJ/550 kcal · 29 g de proteínas · 30 g de grasas · 40 g de hidratos de carbono

---

Tiempo de preparación: 50 min.

Ponga a hervir el agua con la sal. Cueza en ella la pasta unos 10 minutos hasta que esté «al dente», escúrrala después, enjuáguela con agua fría y déjela escurrir. • Corte el queso y el salami en tiras finas. Pele los huevos y córtelos en 8 gajos. Corte los pimientos por la mitad, quíteles el tallo, membranas y semillas, lávelos, séquelos y córtelos en dados. • Prepare los rabanitos, lávelos y séquelos; reserve algunos rabanitos para adornar y corte el resto en rodajas finas. • Mezcle el vinagre con la sal, la pimienta y el pimentón y vaya añadiendo el aceite. • Mezcle la pasta, ya fría, con las tiras de salami y queso, los dados de pimiento, las rodajas de rabanito y la salsa. • Corte los rabanitos restantes de modo decorativo y colóquelos sobre la ensalada. Deje tapada la ensalada hasta el momento de servir.

Espaguetis y compañía

Ensaladas para refinados «fans» de la pasta

Ensalada de pasta con rosbif

A la izquierda de la foto

Ingredientes para 8 personas:
400 g de pasta de tamaño medio
4 l de agua · 1 pepino grande
2 cucharaditas de sal
½ cucharadita de sal y ½ de pimienta blanca recién molida
8 cucharadas de vinagre balsámico · 2 cebollas pequeñas
400 g de tomates firmes y pequeños
2 ramilletes de rabanitos
200 g de asado de cerdo frío
400 g de rosbif frío
2 pizcas de pimentón dulce
3 gotas de salsa tabasco
8 cucharadas de aceite de oliva

Fácil • Coste medio

Por persona 1 680 kJ/400 kcal · 23 g de proteínas · 17 g de grasas · 43 g de hidratos de carbono

Tiempo de preparación: 40 min.
Tiempo de reposo: 15 minutos

Cueza la pasta «al dente» en el agua salada unos 8 minutos y déjela escurrir. Pele el pepino y córtelo en dados; espolvoree sobre él ¼ de cucharilla de sal y otro tanto de pimienta y rocíelo con 1 cucharada de vinagre. • Pele los tomates y córtelos en gajos. Prepare los rabanitos y córtelos en rodajitas; corte el asado y el rosbif en tiras. Rocíe el líquido por el pepino. • Pele las cebollas y píquelas finamente. • Mezcle las 7 cucharadas de vinagre restantes, ¼ de cucharadita de sal y de pimienta, el pimentón, la salsa tabasco, el aceite de oliva y las cebollas picadas para obtener la salsa, que luego mezclará con los ingredientes de la ensalada. • Deje reposar la ensalada tapada 15 minutos en el frigorífico.

Ensalada de pasta con mejillones

A la derecha de la foto

Ingredientes para 8 personas:
2 kg de mejillones
2 dientes de ajo · 6 tomates
4 ramitas de perejil
½ l de vino blanco seco
300 g de guisantes
1,2 dl de caldo de verduras
300 g de atún enlatado
300 g de gambas hervidas y peladas · 400 g de espirales
2 cucharadas de alcaparras
10 cucharadas de aceite de oliva
El zumo de 2 limones grandes
2 ½ cucharaditas de sal
3 pizcas de pimienta negra

Elaborada

Por persona 2 180 kJ/520 kcal · 41 g de proteínas · 16 g de grasas · 48 g de hidratos de carbono

Tiempo de preparación: 1 ½ h.

Limpie los mejillones y quíteles las barbas. Pele y maje los dientes de ajo. Ponga a cocer los mejillones, el ajo machacado, el perejil y el vino 10 min. con el recipiente tapado. Agite de vez en cuando el recipiente. Tire los mejillones que no se abran. Desprenda los mejillones de las valvas. • Hierva los guisantes 10 min. en el caldo de verduras y déjelos escurrir. • Pele los tomates y córtelos en dados. • Trocee el atún en pedazos y mézclelo con los mejillones, las gambas, los guisantes, los tomates, las alcaparras, 8 cucharadas de aceite de oliva y el zumo de limón. Deje la ensalada 30 min. en el frigorífico a reposar. • Cueza la pasta «al dente» 8 min. en 4 l de agua con 2 cucharaditas de sal. Rocíe los espaguetis escurridos con 2 cucharadas de aceite de oliva. Mezcle la ensalada con la pasta y condiméntela con 2 cucharaditas de sal y la pimienta.

Los ingredientes de la ensalada

En estas páginas presentamos los ingredientes típicos de la ensalada. No aparecen todos, como es lógico, pues a fin de cuentas apenas existe artículo comestible que no pueda incluirse entre los componentes de una ensalada. Ante todo, concedemos la mayor importancia a las hojas vegetales comestibles, que son de uso preponderante en las ensaladas frescas. También nos ocupamos de otras verduras y hortalizas que, sobre todo crudas, son apropiadas para las ensaladas y de algunos ingredientes finos que ennoblecen el sabor de la misma. Con igual detenimiento tratamos de los principales compañeros de la ensalada, el aceite y el vinagre, de los que indicamos en qué tipos de ensaladas deben emplearse.

Quien en la información que ofrecemos, se detenga a examinar los datos de los valores nutritivos, de los kilojulios y las kilocalorías, comprobará que muchos ingredientes de la ensalada son ricos en sustancias nutritivas esenciales y relativamente pobres en calorías. Y quien además observe la tantas veces repetida advertencia de «empléese, a ser posible, recién cogida», acabará convencido de que la ensalada es uno de los componentes más valiosos

de su alimentación. Es mejor saciar el primer apetito con la ensalada antes de empezar con otros platos ricos en calorías. Los que deseen una dieta pobre en sal, pueden ahorrarla en la condimentación de la ensalada. La mayor parte de los ingredientes crudos de las ensaladas tienen tal sabor y aroma propios que apenas necesitan sal. En este sentido, las ensaladas ayudan a que las papilas gustativas se acostumbren a los alimentos con menos sal.

Escarola de Batavia

La escarola de Batavia es un cultivo que se sitúa entre la lechuga arrepollada y la lechuga iceberg. La escarola de Batavia crece, en contra de los esfuerzos del cultivo, en cogollos firmes y abiertos que varían de tamaño y color. Así, estas escarolas de hojas levemente rizadas pueden encontrarse en tonos que van desde los amarillos claros hasta los verdes intensos, e incluso a veces rojos en las puntas de las hojas. La escarola de Batavia tiene un sabor particularmente fino.

Estación: Septiembre-mayo.
Principales sustancias nutritivas: Hidratos de carbono, potasio, calcio, fósforo, vitaminas A, B_1, B_2, niacina y C.
Unos 88 kJ/21 kcal por cada 100 g de la parte comestible.

Compra: Fíjese en que las hojas sean crujientes. Rechace los cogollos con defectos.
Conservación: Consúmala lo antes posible.
Empleo: Las crujientes hojas de la escarola de Batavia tienen un sabor más fuerte e intenso que la lechuga arrepollada y son consistentes, es decir, la mezcla con el aceite no las quiebra tan pronto. Si lo desea, la escarola de Batavia puede mezclarse con otras hojas, rabanitos, apio, tomates y cebollas. También se logran finas combinaciones con picatostes de ajo, higadillos de ave fritos, semillas de sésamo tostadas, dados de anchoa o nueces.

Endibia

Las alargadas plantas de las endibias, con sus apretadas hojas de color amarillo claro de puntas verdes y tiernas, están protegidas de la luz, y a ello deben su escasa coloración.

El sabor de las hojas es ligeramente amargo. Las endibias son una especialidad belga, aunque actualmente se cultivan en nuestro país a gran escala.

Estación: De octubre a abril.
Principales sustancias nutritivas: Proteínas, hidratos de carbono, fibras, potasio, calcio, fósforo, magnesio, hierro, vitaminas A, B_1, B_2, ácido fólico, niacina y C.
Unos 65 kJ/15 kcal por cada 100 g de la parte comestible.
Compra: Fíjese en que las hojas de las endibias estén bien cerradas hasta las puntas. Las hojas exteriores no deben tener ningún fleco de color pardo.

Conservación: Envueltas en papel pueden conservare hasta 3 días en el cajón para verduras del frigorífico.
Empleo: Las endibias son adecuadas para ensaladas, en combinación con frutas dulces o ácidas, con otro tipo de hojas, con zanahorias, pimientos y tomates. Si desea suavizar su sabor amargo, corte un poco más el extremo de la raíz y rebane una cuña de unos 2 cm en este mismo extremo, pues en ella se concentran la mayor parte de las sustancias que producen el sabor amargo.

Lechuga crujiente
(No aparece en la foto)

La lechuga crujiente es una variante de la lechuga iceberg que se cultiva en España y Holanda. Tiene un cogollo más pequeño, redondo y firme, con hojas de bordes muy rizados. El resto de sus propiedades se asemeja a las de la lechuga iceberg, aunque, como se cultiva en invernaderos, sus valores nutritivos son inferiores.

Col china

La col china es de fácil digestión, tierna y de gusto suave. Se puede emplear cruda para ensaladas y también cocida. Sus cogollos, de un color que oscila entre el verde amarillento y el verde claro, son de consistencia variada, y pueden llegar a alcanzar 1 kg. De estas coles tan grandes hay que escoger sólo las mejores hojas.

Estación: De octubre a marzo.
Principales sustancias nutritivas: Hidratos de carbono, fibras, po-

Escarola
de Batavia

Col china

Endibias

Lechugas, hierbas y gérmenes

tasio, calcio, fósforo, magnesio, hierro, flúor, vitaminas A, B_1, B_2, ácido fólico, niacina y C. Unos 75 kJ/15 kcal por cada 100 g de la parte comestible.
Compra: Escoja los cogollos lo más compactos y cerrados, con las hojas frescas y tersas. Las hojas con manchas parduzcas son indicio de un almacenamiento inadecuado; rechácelas.
Conservación: Envueltas en un lienzo húmedo, las coles chinas pueden conservarse 8 días en el cajón de las verduras del frigorífico.
Empleo: En la ensalada, cortada en tiras o en trozos, la col china combina bien con manzanas ralladas, zanahorias, mandarinas, nueces picadas, hierba de los canónigos y apio.

Hierba de los canónigos

La hierba de los canónigos crece en pequeños ramilletes de unas 10 hojas ovaladas, de color verde oscuro. Las hojas tienen una consistencia firme y para conservarse bien necesitan humedad. Los ramilletes jóvenes y tiernos son los de mejor sabor.
Estación: De octubre a marzo.
Principales sustancias nutritivas: Proteínas, hidratos de carbono, fibras, sodio, potasio, calcio, fósforo, magnesio, hierro, vitaminas A, B_1, B_2, niacina y C. Unos 88 kJ/21 kcal por cada 100 g de la parte comestible.

Compra: Escoja los ramilletes enteros y rechace los que tengan hojas amarillentas.
Conservación: Envueltos en un lienzo húmedo, pueden conservarse 2 días en el cajón de verduras del frigorífico.
Empleo: Las raíces deben cortarse de modo que el ramillete no se deshoje. Puede combinarse con otras hojas de sabor marcado o con rodajas de naranja o pomelo, gajos de tomate o huevo picado. Debe aliñarse con una salsa vinagreta y con cebolla o escalonia picada. Como entrada especial, la hierba de los canónigos puede guarnecerse con mollejas fritas o con higadillos de ave fritos, pícatostes o con tiras de chuletas de cerdo asadas.

Lechuga hoja de roble

Se trata de un cultivo reciente, parecido a la escarola de Batavia. Pueden encontrarse lechugas hoja de roble de color rojo pardo, pero también las hay de color verde oscuro. Está emparentada con la lechuga de cabeza suelta, pero su sabor es menos amargo que el de ésta y se acerca más al de las avellanas frescas. La lechuga hoja de roble se produce en la R.F.A., Francia, Holanda y España. Su cultivo no es fácil, pues sus hojas requieren una alta hume-

dad atmosférica y hay que regar con frecuencia.
Estación: De septiembre a abril.
Principales sustancias nutritivas: Hidratos de carbono, sodio, potasio, calcio, fósforo y vitaminas A, B_1, B_2 y C. Unos 76 kJ/18 kcal por cada 100 g de la parte comestible.
Compra: Fíjese en que las hojas estén frescas y tiernas.
Conservación: Debe consumirse lo antes posible.
Empleo: La lechuga hoja de roble es un magnífico sustituto de la lechuga de cabeza suelta, sobre todo cuando no gusta mucho el sabor amargo de ésta. Se puede combinar bien con otras hojas y hortalizas apropiadas para ensaladas y con frutas. Los pimientos, las escalonias y las cebollas ocultan su sabor propio; el ajo, en cambio, lo intensifica.

Lechuga de cabeza suelta

Esta planta de hojas festoneadas en sus bordes y de un vivo color verde, que amarillea en su interior, está sufriendo la dura competencia de las nuevas especies. El moderado sabor amargo de esta lechuga es muy apreciado.

Estación: De julio a noviembre.
Principales sustancias nutritivas: Proteínas, hidratos de carbono, fibras, potasio, calcio, fósforo, magnesio, hierro, vitaminas A, B_1, B_2, ácido oxálico, ácido fólico y C. Unos 76 kJ/18 kcal por cada 100 g de la parte comestible.
Compra: Asegúrese que las hojas sean frescas y tiernas y que no tengan partes picadas.
Conservación: Después de lavada y sacudida el agua, puede conservarse 2 días envuelta en un liezo húmedo en el cajón de verduras del frigorífico.
Empleo: Puede cortarse en tiras o en trozos. Se consigue una extraordinaria mezcla de sabores con berros, tocino frito, cebolla picada, ajo o mostaza.

Lechuga de cabeza suelta lisa
(No aparece en la foto)

Esta lechuga de cabeza suelta tiene verdes hojas, anchas y fuertes, que se abren de forma irregular a ambos lados de los nervios amarillos. El dorado corazón es más tierno que el resto, pero la mayor parte de las sustancias nutritivas se encuentra en la parte verde. La lechuga de cabeza suelta lisa partici-

Hierba de los canónigos

Lechuga hoja de roble

Lechuga de cabeza suelta

Los ingredientes de la ensalada

pa del ligero sabor amargo de la lechuga de cabeza suelta.

Estación: De julio a noviembre.

Principales sustancias nutritivas: Hidratos de carbono, sodio, potasio, vitaminas A, B_1, B_2 y C.

Unos 71 kJ/17 kcal por cada 100 g de la parte comestible.

Compra: Las hojas exteriores no deben estar deterioradas y los cogollos deben mantenerse cohesionados.

Conservación: Después de lavada y seca puede conservarse, envuelta en un lienzo húmedo, hasta 3 días en el cajón de las verduras del frigorífico.

Empleo: Debido a sus fuertes nervios, las hojas se cortan en tiras, las cuales no han de ser muy finas, pues de lo contrario no tardan en quebrarse. A pesar de su sabor levemente amargo, esta lechuga combina con frutas agrias y dulces.

Escarola

La escarola se divide en dos variedades, la rizada y la dentada. Las hojas, dentadas o rizadas y de color verde, están unidas en el extremo de las raíces por un núcleo amarillo, pues mientras crece la planta, las hojas se mantienen atadas para impedir que caigan a tierra. Las hojas de las escarolas tienen un sabor ligeramente amargo.

Estación: De septiembre a diciembre.

Principales sustancias nutritivas: Proteínas, hidratos de carbono, fibras, sodio, potasio, calcio, fósforo, magnesio, hierro, vitaminas A, B_1, B_2, niacina y C.

Unos 80 kJ/19 kcal por cada 100 g de la parte comestible.

Compra: Fíjese que las hojas sean crujientes y no tengan partes defectuosas. Sólo deben ser amarillas en el extremo de las raíces. En las puntas han de tener un vivo color verde.

Conservación: Prepárela lo antes posible tras la compra.

Empleo: La escarola se corta en tiras o en trozos. Sus hojas tiernas y crujientes combinan con pimientos rojos y verdes, tomates, aguaturmas, filetes de anchoa, así como con pescado escalfado, trucha ahumada y también con frutas. Sola sabe muy bien con una vinagreta. Con fruta, lo mejor es acompañarla con una salsa a base de yogur o crema de leche.

Berros

Los berros de jardín se venden habitualmente sembrados en una cajita de cartón, jóvenes y pequeños. Los berros de hojas grandes y carnosas, llamados berros de agua, son mucho más grandes y se venden en manojos. Los berros tienen un sabor fuerte que recuerda a la pimienta y son apropiados para mezclarlos o espolvorearlos sobre las ensaladas.

Estación: Todo el año para los berros de jardín. De mayo a julio para los de agua.

Principales sustancias nutritivas: Proteínas, hidratos de carbono, fibras, potasio, calcio, fósforo, hierro, flúor, vitaminas A, B_1, B_2, niacina y C.

Unos 190 kJ/45 kcal por cada 100 g de la parte comestible.

Compra: Para los berros de agua compruebe que las hojitas estén crujientes, frescas y de color verde claro. Para los berros de jardín, fíjese en los tallitos verticales y en las hojitas, que deben ser verde oscuro.

Conservación: Los berros de jardín pueden conservarse frescos en su cajita de cartón en la ventana de la cocina 2 semanas, siempre que se mantengan húmedos. Los berros de agua se emplean recién cogidos.

Empleo: Corte los berros de jardín con las tijeras de cocina, lávelos y déjelos escurrir. El berro de jardín da valor a cualquier ensalada, pero está indicado, sobre todo, para adornarla; además siempre debería estar presente cuando se combinan alimentos frescos. Arranque las hojas de los berros de agua, lávelas y úselas para ensaladas mixtas. El berro combina con la naranja y el pomelo.

Lechuga romana

Esta lechuga tiene hojas finas y largas con un fuerte nervio central, que se agrupan formando un cogollo alargado y blando. Las hojas arrancan de un tronco robusto, cuyo núcleo se corta antes del consumo. Esta verdura es de un sabor algo más fuerte que el de la lechuga arrepollada y sus hojas tienen mayor consistencia. Se cultiva profusamente en España.

Estación: Todo el año.

Principales sustancias nutritivas: Proteínas, hidratos de carbono, fibras, calcio, potasio, vitaminas A, B_1, B_2 y C.

Unos 88 kJ/21 kcal por cada 100 g de la parte comestible.

Compra: Escoja los cogollos más cerrados y de mejor aspecto.

Conservación: Prepárela lo antes posible tras la compra.

Empleo: Esta lechuga combina bien con otras hojas de ensalada y con queso o salsas de queso. Su sabor se intensifica con la ayuda de un vinagre fuerte o cuando se añaden a la ensalada filetes de anchoa.

Endibia roja de Verona

La endibia roja de Verona se cultiva siempre en huertas al aire libre. En su cogollo pequeño y duro se agrupan las hojas, de un oscuro color rojo vino, que están veteadas por nervios blancos. Tiene un marcado sabor amargo. Quien guste de es-

Escarolas

Lechuga romana

Berro de jardín

Berro de agua

Endibia roja de Verona

Lechugas, hierbas y gérmenes

te sabor puede añadir a la ensalada los extremos de las raíces rallados, pues ahí es donde se concentran la mayor parte de las sustancias que confieren dicho sabor. La endibia roja es pariente de la común.
Estación: De septiembre a noviembre.
Principales sustancias nutritivas: No hay información disponible. Unos 113 kJ/27 kcal por cada 100 g de la parte comestible.
Compra: Escoja los cogollos más cerrados y sin partes dañadas. La forma de esta endibia varía, las hay redondas y alargadas. Tampoco es general el color rojo de las hojas.
Conservación: Prepárela lo antes posible tras la compra.
Empleo: Combina con las demás hojas para ensalada, pero también sabe bien sola o mezclada con frutas agrias, nueces, huevos duros o rabanitos rallados. Una fuente pequeña cubierta con hojas de esta endibia puede coronarse con una ensalada de guisantes y huevos aliñada con una crema.

Lechuga lollo rosso

Lleva poco tiempo en el mercado, pero ya es muy apreciada. La lollo rosso procede de Italia y su nombre hace referencia al color rojo del borde de las hojas, las cuales son de un verde intenso en la parte superior, que se va degradando hasta un verde claro en la inferior. Los cogollos, de pequeñas

hojas rizadas, hacen el efecto de bolas densas cuando en realidad son sueltos y flojos. Sus hojitas son firmes e incluso permanecen rígidas después de unos días de almacenamiento.
Estación: De junio a septiembre. En invierno se encuentran esporádicamente.
Principales sustancias nutritivas: Semejantes a las de la escarola de Batavia.
Compra: Los cogollos grandes tienen a menudo hojas exteriores defectuosas, que deben quitarse. Por ello es preferible escoger cogollos pequeños.
Conservación: Hasta 3 días en el cajón de las verduras del frigorífico.
Empleo: Combina de modo preferente con tiras de carnes asadas o fritas, mollejas, pechuga e higadillos de aves, roastbeef. Tolera salsas de sabores acusados y difíciles.

Acedera

Se consigue su mejor sabor cuando uno mismo recoge las hojitas de plantas jóvenes desde abril a comienzos de junio. No obstante, la acedera también se ofrece en el mercado. Sus hojas algo más fuertes son apropiadas para combinar con otras hojas para ensalada y otras hortalizas frecuentes en las ensaladas, como pepinos, zanahorias, rábanos, tomates y cebollas.

Lechuga iceberg

La lechuga iceberg tiene hojas de color verde claro y brillante, que se juntan formando un cogollo grande redondo. Desde hace poco tiempo se ofrece también una variedad azul de esta lechuga. Una vez que se quitan las hojas exteriores, la estructura de las interiores, de color más amarillento, recuerda a la de una col blanca. La consistencia de la lechuga iceberg puede compararse a la de las hojas centrales de una lechuga arrepollada, aunque las hojas de la iceberg son más crujientes y carnosas.
Estación: De mayo a octubre.
Principales sustancias nutritivas: No se dispone de datos. Unos 73 kJ/15 kcal por cada 100 g de la parte comestible.
Compra: Fíjese en los cogollos de estructura firme.
Conservación: Después de comprarla debe lavarla y puede conservarla, envuelta en un lienzo húmedo, hasta 3 días en el cajón de las verduras del frigorífico. Si fuese necesario vuelva a humedecer el lienzo.
Empleo: Esta lechuga puede combinar con otras hojas y hortalizas para ensaladas de sabores fuertes y también con frutas dulces. Puede aliñarse

tanto con una vinagreta como con salsa a base de mayonesa o crema. Está deliciosa con berros, pimientos rojos, rabanitos, pepinos y tomates, aunque también con fresas, bayas, albaricoques y melocotones.

Lechuga de Borgoña

Es un cultivo especial de la lechuga arrepollada. Sus hojas exteriores rojo-pardas recuerdan a las de la lechuga hoja de roble, si bien la lechuga de Borgoña recuerda más por su tierna consistencia a la lechuga arrepollada, aunque no es tan propensa como ésta a ponerse lacia enseguida. Gracias a sus fuertes colores y también a su agradable sabor, la lechuga de Borgoña enriquece cualquier composición de ensalada.
Estación: De junio a septiembre.
Principales sustancias nutritivas: Semejantes a las de la lechuga arrepollada.
Compra: Igual que la lechuga arrepollada.
Conservación: Igual que la lechuga arrepollada.
Empleo: La lechuga de Borgoña es menos sensible a la mezcla con el aceite y las salsas grasas que su pariente la lechuga arrepollada. Combina bien

Lechuga
lollo rosso

Lechuga
iceberg azul

Acederas

Lechuga
iceberg

Los ingredientes de la ensalada

tanto con una vinagreta como con una salsa de limón y crema (vea receta en la página 10) o con salsas agridulces.

Lechuga arrepollada

La lechuga arrepollada tiene forma redondeada y, junto con la lechuga romana, continúa siendo la número uno en la oferta comercial. Tiene unas hojas tiernas y crujientes muy sugestivas y un aroma propio, lo que hace que se pueda preparar de formas muy variadas.
Estación: De mayo a octubre.
Principales sustancias nutritivas: Proteínas, hidratos de carbono, fibras, sodio, potasio, calcio, fósforo, magnesio, hierro, flúor, yodo, vitaminas A, E, B_1, B_2, ácido fólico, niacina y C.
Unos 71 kJ/17 kcal por cada 100 g de la parte comestible.
Compra: Fíjese en que las hojas sean frescas, tiernas, de color verde uniforme y sin defectos. Escoja los cogollos más cerrados. Las hojas exteriores deben encontrarse excesivamente sueltas y las lechugas no deben estar una a una metidas en bolsas de plástico.

Conservación: Hasta 2 días, envueltas en un lienzo húmedo, en el cajón de las verduras del frigorífico.
Empleo: Sus hojas sensibles sólo deben lavarse bajo un chorro de agua suave, secarse bien en la centrifugadora de ensaladas o al aire en un recipiente. Las hojas se parten en trozos pequeños. Esta lechuga debe mezclarse con salsas a base de aceite, mayonesa o crema poco antes de servirla, pues sus hojas son muy delicadas. Puede combinarse con todos los ingredientes imaginables. Muestra buen sabor con una vinagreta, con una salsa crema o con salsas agridulces.

Col china Pak-Choi
(No aparece en la foto)

Es un cultivo original del sudeste asiático, que desde hace poco tiempo se cultiva también en Europa durante la estación fría en invernaderos y en verano al aire libre. La col china Pak-Choi puede prepararse como las espinacas y las acelgas, pero cuando está cultivada al aire libre sirve para enriquecer el arte de las ensaladas.
Estación: De junio a septiembre.
Principales sustancias nutritivas: Proteínas, grasas, hidratos de carbono, fibras, calcio, fósforo, hierro, vitaminas A, B_1, B_2, niacina y C.

Compra: Pesa entre 200 y 600 g. Para ensalada escoja las coles pequeñas, pues en éstas sus nervios blancos tienen menor incidencia.
Conservación: Hasta 2 días, envuelta en un lienzo húmedo, en el cajón de las verduras del frigorífico.
Empleo: Para ensalada utilice solamente las hojas, que son de color verde oscuro, y deseche los nervios blancos. Su leve sabor amargo desaparece si las hojas se blanquean 3 min. en agua hirviendo y a continuación se bañan bruscamente en un agua lo más fría posible.

Diente de león
(No aparece en la foto)

Considerada tradicionalmente como una hierba despreciable, se ha recuperado recientemente para la ensalada. Es parte esencial de las ensaladas de hierbas silvestres variadas, pero también puede emplearse sola. Sus peculiares hojas festoneadas son de un verde intenso y tienen un sutil sabor amargo. Cuanto más pequeñas y jóvenes son las hojas, más suave es su sabor.
Estación: De abril a junio.
Principales sustancias nutritivas: Proteínas, hidratos de carbono, fibras, sodio, potasio, calcio, fósforo, magnesio, hierro, vitaminas A, B_1, B_2, niacina y C.
Unos 190 kJ/45 kcal por cada 100 g de la parte comestible.
Compra: Escoja las plantas más tiernas y limpias. Si al cortar brota un líquido blanco lechoso hay garantía de que la planta es fresca.

Conservación: Úsese lo antes posible tras su recogida.
Empleo: Quien coja personalmente del campo el diente de león, debe evitar los prados cercanos a carreteras con mucha circulación y asegurarse de que no se ha tratado químicamente la tierra desde al menos 4 semanas antes. En el verano vuelven a brotar nuevas hojitas de dientes de león después de la cosecha, de modo que existe la posibilidad durante varios meses de coger estas hojas directamente en el campo. El diente de león adquiere un sabor agradable con vinagreta, con salsa de yogur o con una salsa de crema.

Hierbas silvestres

Entre las hierbas silvestres que se emplean en las ensaladas están las puntas de ortiga bien lavadas y picadas, las hojas y brotes tiernos del lúpulo, verdolaga, hojas jóvenes de mostaza silvestre, oruga, malva, de ortiga menor, así como diente de león. Saben mejor las ensaladas que contienen una rica variedad de las hierbas mencionadas. Sólo excepcionalmente pueden encontrarse en manojos en el mercado. La mayor parte de las veces debe recogerlas uno mismo en el campo.
Estación: Desde comienzos de año hasta el otoño crecen las distintas hierbas en diferentes tiempos.
Principales sustancias nutritivas: No se dispone de datos particularizados para cada hierba. Son ricas en oligoelementos y vitaminas.

Lechuga de Borgoña

Lechuga arrepollada

Ortiga menor y Llantén mayor

Gérmenes de lentejas

Lechugas, hierbas y gérmenes

Conservación: Consúmase lo antes posible tras su recogida.
Empleo: Las hierbas silvestres no deben recogerse en lugares próximos a carreteras con mucho tráfico y sólo en campos de los que se tiene certeza que en las 4 semanas anteriores no han sido tratados con sustancias químicas. Deben escogerse las plantas más tiernas. Quien no tenga la seguridad de reconocer varias hierbas, es mejor que se concentre sólo en las que conoce bien. Las hierbas silvestres combinan bien con daditos de cebolla o escalonia, rabanitos, raiforte rallado, y también con manzana o zanahoria ralladas. Tienen buen sabor con una vinagreta ligeramente salpimentada.

Gérmenes de granos y semillas

Son grandes portadores de minerales y vitaminas y en los meses de invierno pueden paliar la menor riqueza en sustancias nutritivas de las hortalizas. Puede añadirse, por cada comensal, 1 cucharada de gérmenes o brotes como complemento nutritivo, aunque, por otra parte, aportan nuevos sabores y decoran la ensalada.
Para germinar son apropiados: la alfalfa, los garbanzos, las semillas de berro, las semillas de lino, las lentejas, las judías mango y de soja, las pepitas de girasol, los granos de avena, de cebada, de centeno y de trigo. Todos estos granos y semillas pueden encontrarse en tiendas naturistas. Debe comprobar que los gérmenes o brotes que compra proceden de cultivos biológicamente controlados. Sólo en este caso puede estar seguro de que no han sido tratados químicamente. Este tratamiento puede dar lugar, aparte de su influencia en la salubridad, a que las semillas no puedan ya echar brotes.
Se ponen a germinar en cantidades pequeñas —unas 2 cucharadas— en vasos o recipientes de cristal. En el comercio se venden recipientes especiales para la germinación. Los granos o semillas deben ponerse a remojar, apenas cubiertos de agua templada, durante unas horas o toda una noche para que se empapen bien.
Tan pronto como absorben el agua comienzan en su interior las reacciones químicas que posibilitan la germinación. Entonces se liberan vitaminas, minerales y oligoelementos, que aumentan el valor nutritivo de estos gérmenes.
Después del remojo lave los granos y semillas con agua tibia, déjelos escurrir y échelos en el recipiente elegido. Tápelos y espere de 2 a 5 días (según la clase de semilla). Durante este tiempo el recipiente no debe estar nunca herméticamente cerrado, pues de lo contrario las semillas no pueden respirar y empiezan a enmohecerse. Durante el tiempo de germinación las semillas tienen que mantenerse a la misma humedad, es decir, hay que rociarlas una vez al día, por lo menos, con agua. Pero hay que tener cuidado de que no estén inmersas en agua en el recipiente de germinación, pues también por esta razón comenzarían a enmohecerse.
Los gérmenes de cereales crean al germinar minúsculos cubitos de fibra, que a primera vista parecen moho. De todas formas, las semillas o granos enmohecidos se reconocen enseguida por su olor. Las semillas en germinación deben situarse en una habitación a unos 23° C, en un lugar luminoso, pero no expuesto directamente a la luz solar.
Antes de consumirlos lave los gérmenes con agua templada y déjelos escurrir. Los gérmenes de legumbres deben blanquearse en agua hirviendo de 2 a 3 min. para destruir la sustancia tóxica natural que contienen. Los gérmenes más finos, como los de la alfalfa, por ejemplo, deben esparcirse sobre la ensalada momentos antes de servirla.

Hinojo

El bulbo de hinojo forma un cogollo grueso y apretado y está formado por hojas carnosas y veteadas. Los tallos verdes y duros que salen del bulbo no se consumen, pero sí las finas hojitas verdes.
Estación: De octubre a abril.
Principales sustancias nutritivas: Proteínas, grasas, hidratos de carbono, fibras y vitamina A. Unos 105 kJ/25 kcal por cada 100 g de la parte comestible.
Compra: Compre solamente los bulbos firmes y limpios con hojitas verdes frescas.
Conservación: Hasta 2 días en el cajón de las verduras del frigorífico.
Empleo: Quite los nervios duros de las hojas exteriores. Rocíe con zumo de limón los cogollos para que no se ennegrezcan. Las hojitas verdes se esparcen sobre la ensalada.

Col blanca

La col blanca joven tiene un color todavía verde intenso; los cogollos maduros, en cambio, son de un color amarillo claro y tienen hojas apretadas.
Estación: De agosto a noviembre. Almacenada, hasta marzo.
Principales sustancias nutritivas: Proteínas, grasas, hidratos de carbono, fibras, potasio, vitamina C y ácido fólico.
Unos 105 kJ/25 kcal por cada 100 g de la parte comestible.
Compra: Fíjese en que las hojas no estén dañadas.
Conservación: Hasta 1 semana en el cajón de las verduras del frigorífico.

Hierbas silvestres

Garbanzos

Gérmenes de trigo

Alfalfa

Gérmenes de soja

Los ingredientes de la ensalada

Empleo: Todas las recetas que tengan entre sus ingredientes la col blanca, pueden prepararse también con berza o col rizada.

Rabanito y rábano

Los rabanitos que se ofrecen en el mercado son encarnados la mayoría de las veces, pero también los hay blancos y amarillos. En cuanto a los rábanos, podemos citar el blanco de verano y el negro de invierno.

Estación: De mayo a septiembre. Los rábanos de invierno se encuentran también, a veces, en los meses de verano.

Principales sustancias nutritivas: Proteínas, grasas, hidratos de carbono, fibras, sodio, potasio, calcio, fósforo, hierro, vitaminas B_1, B_2, niacina y C.

Unos 80 kJ/19 kcal por cada 100 g de la parte comestible.

Compra: Rechace los excesivamente duros y fibrosos y los golpeados.

Conservación: Tanto los rábanos como los rabanitos deben consumirse lo más pronto posible después de recogerlos.

Empleo: Los rabanitos pueden servirse enteros o picados. En cuanto a los rábanos deben lavarse, pelarse los de piel oscura y cortarse en rodajas o rallarse.

Apio nabo

Si se emplean crudos, deben usarse las raíces más jóvenes, gruesas y con hojitas verdes. Las raíces más pesadas son muy apreciadas para ensalada durante el invierno.

Estación: De octubre a marzo.

Principales sustancias nutritivas: Proteínas, grasas, hidratos de carbono, fibras, sodio, potasio, calcio, fósforo, magnesio, hierro, yodo, flúor, vitaminas A, E, K, B_1, B_2, B_6, niacina y C.

Unos 170 kJ/40 kcal por cada 100 g de la parte comestible.

Compra: Fíjese en que las raíces no estén dañadas. En las raíces jóvenes debe haber hojitas verdes. Las raíces grandes deben ser también pesadas.

Conservación: Hasta 2 semanas en el cajón de las verduras del frigorífico. Si están cortados, no más de 4 días.

Empleo: Prepare, pele y lave el apio nabo y córtelo o rállelo. Pique las hojitas verdes tiernas sobre la ensalada ya preparada.

Remolacha

Las raíces, de carne jugosa de color rojo púrpura, tienen un sabor fino y aromático y son muy apropiadas para ensaladas frescas.

Estación: De septiembre a febrero.

Principales sustancias nutritivas: Proteínas, grasas, hidratos de carbono, fibras, sodio, potasio, calcio, fósforo, hierro, vitaminas A, B_1, B_2, ácido fólico, niacina y C.

Unos 190 kJ/45 kcal por cada 100 g de la parte comestible.

Compra: Escoja raíces pequeñas y apretadas.

Conservación: Hasta 1 semana en el cajón de las verduras del frigorífico envueltas en papel.

Empleo: Para las ensaladas frescas, prepare la remolacha, pélala muy finamente y rállela; córtela en juliana.

Cebolla

Se diferencian en tamaño, color y sabor. La cebolla española de color marrón y acusado sabor se pica y se añade a la ensalada o se incorpora rallada a la salsa. La cebolla blanca es apropiada para preparar ensalada de cebolla. La cebolla roja española es generalmente más suave y puede entrar a formar parte de una ensalada mixta. Asimismo, la cebolla tierna puede ser un componente más de las ensaladas. La escalonia tiene un sabor más moderado que la cebolla española y se usa para todas las combinaciones delicadas.

Estación: La cebolla tierna de febrero a julio. La cebolla blanca de junio a noviembre. La cebolla española todo el año.

Principales sustancias nutritivas: Proteínas, grasas, hidratos de carbono, fibras, potasio, calcio, fósforo, hierro, yodo, flúor, vitaminas A, E, B_1, B_2, niacina y C.

Unos 165 kJ/40 kcal por cada 100 g de la parte comestible.

Compra: Escoja las cebollas secas, bien apretadas, sin brotes. Las cebollas tiernas deben tener la parte blanca brillante y las hojas verdes y tiernas.

Conservación: Las cebollas tiernas hasta 2 días en el cajón de las verduras del frigorífico. Las demás cebollas en lugar aireado, fresco y seco, pero no por debajo de los 4° C.

Empleo: Quite la piel exterior, las raíces y los brotes.

Aguacate

Los aguacates que se ofrecen en el mercado, de piel suave, brillante y graneada, son de color verde oscuro, verdinegro o violeta oscuro. Sólo cuando están bien maduros, los aguacates tienen un delicado aroma parecido al de las nueces.

Estación: Todo el año.

Principales sustancias nutritivas: Proteínas, grasas, hidratos de carbono, fibras, calcio, potasio, fósforo, hierro, vitaminas A, B_1, B_2, B_6, niacina, ácido pantoténico, E y C.

Unos 985 kJ/235 kcal en cada 100 g de la parte comestible.

Compra: El color de la piel no indica nada sobre su calidad. Los aguacates maduros ceden ligeramente a la presión de los dedos en el extremo del tallo.

Conservación: Los aguacates maduros deben consumirse cuanto antes. Los que están aún verdes pueden dejarse madurar a temperatura ambiente 3 ó 4 días.

Empleo: Pueden emplearse de muchas formas en las ensaladas. Deben combinarse con in-

Col blanca

Rabanitos

Rábano blanco

Cebolla blanca

Aguacate

Cebolla española

Hinojo

Apio nabo

Remolacha

Cebolla roja española

Lechugas, hierbas y gérmenes

gredientes de sabor acusado, como filetes de anchoa, encurtidos y zumo de limón.

Pimiento

En el mercado encontramos pimientos verdes y rojos, y ocasionalmente amarillos, que nos atraen por su aroma afrutado.
Estación: De julio a noviembre.
Principales sustancias nutritivas: Proteínas, grasas, hidratos de carbono, fibras, potasio, calcio, fósforo, magnesio, hierro, vitaminas A, E, B_1, B_2, B_6, niacina y C.
Unos 105 kJ/25 kcal por cada 100 g de la parte comestible.
Compra: Escoja pimientos que tengan la piel tersa y brillante y que no estén partidos.
Conservación: Hasta 3 días en el cajón de las verduras del frigorífico.
Empleo: Quite pedúnculos, membranas y semillas.

Pepino

Para ensaladas son apropiados, sobre todo los alargados. Tienen mejor sabor y aroma los cultivados al aire libre.
Estación: De junio a octubre.
Principales sustancias nutritivas: Proteínas, grasas, hidratos de carbono, fibras, potasio, calcio, fósforo, magnesio, hierro, yodo, vitaminas A, B_1, B_2, niacina y ácido fólico.
Unos 75 kJ/15 kcal en cada 100 g de la parte comestible.

Compra: Fíjese en que los pepinos estén duros, sin partes blandas o podridas, y que la piel sea brillante, de color verde oscuro y sin defectos.
Conservación: Hasta 3 días en el cajón de las verduras del frigorífico.
Empleo: Los pepinos jóvenes, con la piel aún fina, pueden lavarse y agregarse a la ensalada sin mondar. Para la ensalada de pepino, el eneldo es el condimento ideal, pero también las hojitas verdes de hinojo, la pimpinela, el zumo de limón, la crema de leche o los cangrejos son complementos apropiados de las ensaladas de pepino.

Zanahoria

Tanto las zanahorias de verano como las de otoño tienen largas raíces, de extremos puntiagudos o romos, de diferentes grosores.
Estación: Todo el año.
Principales sustancias nutritivas: Proteínas, grasas, hidratos de carbono, fibras, sodio, potasio, calcio, fósforo, magnesio, hierro, yodo, flúor, vitaminas A, K, B_1, B_2, niacina y C.
Uno 170 kJ/40 kcal por cada 100 g de la parte comestible.
Compra: En las zanahorias de verano observe que las hojas verdes estén frescas. En las más tardías fíjese en que las raíces no estén dañadas.
Conservación: Consuma las zanahorias de verano, a ser posible el mismo día que las compre. Las zanahorias de otoño

pueden conservarse hasta 1 semana en el cajón de las verduras del frigorífico.
Empleo: Las zanahorias se deben raspar y luego cortarse en trocitos o rallarse.

Judía

Las judías verdes que se encuentran en el mercado pueden ser de enrame o trepadoras y de mata; existen múltiples variedades, como las bobby, peronas y comunes.
Estación: De julio a septiembre.
Principales sustancias nutritivas: Proteínas, grasas, hidratos de carbono, fibras, hierro, magnesio, fósforo, yodo, vitaminas K, A, E, B_1, B_2, ácido fólico, B_6 y niacina.
Unos 145 kJ/35 kcal por cada 100 g de la parte comestible.
Compra: Escoja judías estiradas y firmes, sin defectos.
Conservación: Hasta 2 días en el cajón de las verduras del frigorífico.
Empleo: Las judías verdes no se deben comer crudas. Tienen una sustancia tóxica que desaparece al cocerlas.

Apio

Los tallos de apio deben su color verde pálido a que se ocultan bajo tierra, que se amontona en torno a ellos durante su crecimiento.
Estación: De octubre a marzo.
Principales sustancias nutritivas: Proteínas, grasas, hidratos de carbono, fibras, sodio, potasio,

calcio, fósforo, magnesio, hierro, vitaminas A, B_1, B_2, niacina y C.
Unos 85 kJ/20 kcal por cada 100 g de la parte comestible.
Compra: Fíjese en que los tallos estén tiernos, crujientes y carnosos, y que las hojas verdes estén frescas.
Conservación: Envuelto en un lienzo húmedo, hasta 2 días en el cajón para las verduras del frigorífico.
Empleo: Las hojas de color verde claro pueden añadirse picadas a la ensalada.

Tomate

Para las ensaladas deben emplearse tomates cultivados al aire libre de pulpa aromática.
Estación: De junio a septiembre.
Principales sustancias nutritivas: Proteínas, grasas, hidratos de carbono, potasio, calcio, fósforo, magnesio, hierro, flúor, vitaminas A, B_1, B_2, niacina y C.
Unos 88 kJ/21 kcal por cada 100 g de la parte comestible.
Compra: Escoja los tomates tensos, no muy blandos y con la piel de color rojo brillante.
Conservación: A temperatura ambiente en un lugar oscuro, de 1 a 2 días.
Empleo: Quite pedúnculos y las partes verdes, pues éstas contienen solanina, una sustancia tóxica.

Pimientos

Judías verdes

Apio

Pepinos

Zanahorias

Tomates

Aceites y vinagres

El aceite y el vinagre son imprescindibles en la cocina de las ensaladas, pues son decisivos en la formación de los sabores y pueden contribuir a incrementar su valor nutritivo.

Aceite

La palabra aceite proviene de la árabe *az-zait,* que significa el jugo de la oliva, de donde se obtiene aceite desde tiempos antiguos. Pero este codiciado producto no se saca sólo de la oliva, sino también de otros muchos frutos y semillas. Para la elección del aceite de las ensaladas es tan importante el producto de donde se obtiene como el modo de obtenerlo. El aceite puede lograrse por prensado o por extracción. Según este segundo método, el aceite se extrae mediante una sustancia disolvente, que se elimina por destilación. De este modo se logra un elevado rendimiento, pero el aceite así obtenido debe sufrir un refinado posterior. En este proceso el aceite es desacidificado, blanqueado, filtrado y, al cabo, resulta un producto de sabor neutro, de buena conservación,

que puede calentarse a elevadas temperaturas, dado que ha sido desprovisto de las sustancias naturales.

Cuando el aceite se logra por el prensado en caliente, el rendimiento y los resultados son parecidos a los del procedimiento anterior. Pero para las ensaladas deseamos un aceite que conserve el color y el aroma del producto de procedencia, y en el que permanezcan las sustancias concomitantes. Este aceite solamente se puede obtener de frutos o semillas de cosecha reciente y mediante un prensado en frío, por el que se consigue un rendimiento menor; esto justifica el elevado precio de este aceite respecto de los refinados. El aceite prensado en frío, sin refinar, debe conservarse en lugar fresco y oscuro y ha de usarse lo antes posible después de que se abra el precinto de origen. Aunque se limpie por filtrado y se caliente ligeramente para que no puedan causar daño sustancias de mediana calidad, las grasas naturales que permanecen lo hacen aún ligeramente rancio. El aceite prensado en frío, sin refinar, contiene, junto a la vitamina E, lecitina, fosfátidos y estearinas,

así como ácidos grasos monoinsaturados y poliinsaturados, también llamados esenciales (o linoleicos) porque el cuerpo los necesita, pero no los puede producir él mismo y, por consiguiente, hay que aportarlos en la alimentación.

Para las ensaladas son muy apropiados los aceites prensados en frío y sin refinar que siguen.

Aceite de oliva

El obtenido en el primer prensado en frío es ligeramente aromático, de color dorado-verdoso, y se denomina extravirgen; se caracteriza por su baja acidez. El aceite del segundo prensado, algo más económico, es más fluido, de sabor más acusado y de color verde más intenso. Tiene un grado de acidez más elevado y sigue siendo un producto de primera clase.

Aceite de cártamo

Se obtiene del cártamo, planta semejante al cardo, y tiene un color dorado oscuro. Este aceite, particularmente completo, es rico en ácidos grasos esenciales y tiene sabor ácido.

Aceite de lino

Este aceite, logrado de la semilla del lino, es de alto valor nutritivo y de un marcado sabor. El

obtenido por prensado tiene un color dorado verdoso; el extraído va desde el dorado verdoso hasta el rojo oscuro.

Aceite de pepitas de calabaza

Se obtiene de calabazas. Tiene un sabor parecido al de las nueces, es de color verde oscuro o violeta oscuro y es muy apreciado por los entendidos.

Aceite de soja

Se obtiene de la judía de soja; es casi incoloro. Sabor neutro.

Aceite de girasol

Logrado por prensado en frío de las semillas de girasol. Alto valor nutritivo y sabor suave.

Aceite de germen de trigo

Se obtiene por prensado de los gérmenes de los granos de trigo maduros. Además de la vitamina E, tiene las vitaminas del grupo B y es muy apreciado como aceite dietético. Su delicado sabor a trigo da a las ensaladas distinción.

Aceite de nueces

Se obtiene por prensado en frío y es una especialidad del Périgord. Posee un aroma refinado y valor nutritivo.

Vinagre

El vinagre es considerado un condimento sano. Procede del alcohol y de las acetobacterias que están en el aire. Si, por

Aceite de cárcamo

Aceite de oliva extra virgen

Aceite de soja

Aceite de romero

Aceite de nueces

Aceite de pepitas de calabaza

Aceite de oliva

Aceite de lino

Aceites y vinagres

ejemplo, se deja vino sin tapar, las acetobacterias transforman en ácido el alcohol del vino. Pero el vinagre así obtenido no es estable por mucho tiempo, se enturbia y pierde el aroma del vino del que procedía. Por esta razón el vinagre así fabricado debe usarse enseguida; cualquier vinagre debe guardarse siempre en botellas bien cerradas y al resguardo de la luz. El vinagre es un producto saludable porque abre el apetito, su ácido procura la descomposición de grasas e hidratos de carbono en el cuerpo y estimula el aprovechamiento de proteínas. El vinagre de producción industrial contiene un 2 % de alcohol, que sirve para estabilizarlo y evitar que se enturbie enseguida. El contenido ácido del vinagre se sitúa en un 5 %. Pero para la ensalada, además del ácido, hay que procurar que el vinagre tenga un agradable sabor y aroma. Por ello ofrecemos ahora una relación de los vinagres recomendables para las ensaladas.

Vinagre de manzana

Ofrecido a veces como vinagre de fruta, procede del mosto de manzana. Es muy apreciado por su delicado sabor a manzana. Particularmente suave son las clases de este vinagre que llevan miel o suero de leche.

Vinagre balsámico
(Acetato balsámico)

Este vinagre italiano, de excepcional calidad, es caro, ya que necesita un largo tiempo —6 años como mínimo— de reposo en toneles de madera. Cuanto mayor es su antigüedad más apreciado es este pro-

ducto. Se administra a gotas.

Vinagre de aguardiente

Es el producto básico de las distintas clases de vinagres aromáticos y se obtiene a partir del trigo o de la patata. El vinagre de patata puro es suave y da sabor sin la ayuda de otros ingredientes aromáticos. El alcohol concentrado, es decir, el aguardiente de trigo, se convierte en vinagre y con frecuencia se le mezclan esencias de hierbas.

Vinagre de malta

Es una especialidad de los países anglosajones, que se obtiene mediante un delicado proceso a partir de la cebada malteada. Ésta debe estar varias semanas cociendo en barriles de acero con virutas de haya bajo la acción de acetobacterias. El color de la malta lo adquiere el vinagre después, con caramelo. Tiene un aroma pronunciado y agradable.

Vinagre de vino

Si en la etiqueta dice sencillamente vinagre de vino, significa que sólo en un 20 % se ha obtenido de vino, el resto es vinagre de aguardiente. El vinagre puro de vino, en cambio, se obtiene de vinos blancos o tintos de alto contenido en alcohol. La acidez excesiva se

modera con la adición de un 6 % de agua, más o menos. El procedimiento es largo, y los vinos de origen de la mejor calidad, por lo cual los vinagres puros de vino son caros.

Vinagre de jerez

Este vinagre se obtiene del vino de jerez y está, con pleno derecho, entre los productos de excepcional calidad. Siempre debe emplearse en pequeñas dosis. Al comprar debe leerse la etiqueta con mucha atención, pues existe un vinagre de jerez, sustancialmente más barato, del que sólo una pequeña parte se obtiene de vino de jerez y el resto son esencias.

Ideas para aromatizar el vinagre y el aceite

Quien desee aromatizar a su gusto aceite o vinagre con hierbas frescas, necesita botellas que puedan cerrarse bien y

aceite prensado en frío de sabor neutro o vinagre de vino blanco de poco sabor.

Aceite de romero

Ponga 3 ramitas de romero en una botella lo suficientemente alta y eche en ella el aceite necesario para que llegue a cubrir completamente el romero. Tape la botella con un corcho y deje reposar 14 días en un lugar fresco. Por el mismo procedimiento puede preparar aceite de albahaca, espliego, salvia o tomillo. Este aceite de hierbas, de fabricación casera, debe usarse dentro de las 6 semanas siguientes.

Vinagre de limón

Introduzca en una botella la corteza fina de 1 limón, 5 cucharadas de zumo de limón recién exprimido, ¼ l de vinagre puro de vino y 4 hojas de toronjil previamente lavadas y secadas. Cierre bien la botella y déjela reposar en un lugar fresco 3 semanas como mínimo.

Vinagre de Jerez

Vinagre balsámico

Vinagre de aguardiente

Vinagre de manzana

Vinagre de vino tinto.

Vinagre de vino blanco de estragón

El contenido del libro de la A a la Z

El contenido del libro de la A a la Z

Los autores

Annette Wolter

Es una de las principales autoras de libros de cocina de la zona de habla alemana. Hace más de 20 años que cultiva los temas de la cocina y de la casa, sobre los que ha colaborado en revistas femeninas de gran difusión. Annette Wolter es hoy una experta reconocida en el campo de la gastronomía, autora de numerosos *best-seller* de recetas de cocina, y ha recibido varios premios de la Academia Gastronómica de Alemania.

Las recetas de sus libros muestran con claridad la armoniosa conjugación de la cocina refinada con la casera sana y sabrosa.

Entre sus libros de mayor éxito se cuentan *Cocinar hoy* y los cuatro tomos de la colección Wie-nochnie: *Placeres de la cocina, Placeres del horno, Cocina fría* y *Especialidades del mundo.*

Elke Alsen

Ha reunido experiencia práctica como joven especialista en alimentación ecológica en las más diversas instituciones sociales, al tiempo que aprendía cómo alimentar a los jóvenes de un modo eficaz y saludable. Como directora de la cocina experimental de una gran editorial de Hamburgo, logró elaborar recetas apropiadas para todos los temas imaginables; aprendió a disponer los alimentos de modo fotogénicamente atractivo ante las cámaras y a preparar los textos para la sección de redacción dedicada a cuestiones culinarias. Entretanto, la señora Alsen se ha hecho con marido y niños, casa y jardín, perro y gato. Pero sigue trabajando con gran entusiasmo como estilista en el estudio fotográfico de alimentación y revela sus platos favoritos en los libros de cocina de la editorial Gräfe und Unzer.

Marieluise Christl-Licosa

Nacida y criada en el Tirol. Ha vivido muchos años en Milán con su marido y sus cuatro hijos. Durante este tiempo ha reunido con verdadera pasión, en sus numerosos viajes por todas las regiones de Italia, recetas de montañeses, pescadores, cocineras de aristócratas y jefes de cocina de restaurantes selectos. En la universidad popular de Germerig, en Munich, imparte clases de italiano y cursos de cocina italiana. Como experta en este campo, la señora Christl-Licosa ha colaborado en el libro *Cocina italiana,* de la editorial Gräfe und Unzer, en otras guías culinarias de esta misma materia y, en concreto, en las variantes italianas de este volumen sobre ensaladas.

Marey Kurz

Proviene de una familia germano-balcánica. Cocina para su marido y sus hijos desde hace más de 20 años. Sus propios problemas de salud han obligado a la señora Kurz a preocuparse cada vez más por la alimentación sana y completa. El necesario cambio en la alimentación no sólo le procuró una mejoría en su salud, sino también el cálido reconocimiento de su familia por la nueva orientación de la dieta. De este modo la señora Kurz se convirtió en especialista en la cocina completa. En 1983 escribió su primer libro de cocina, *La cocina completa, rápida y fácil,* y –animada por el éxito– poco después *La soja en la cocina completa* y *La cocina completa que gusta a los niños.* En este libro colabora, naturalmente, con las recetas que calificamos como «completas».

Hannelore Mähl-Strenge

Vive con su familia en Hamburgo. Como diplomada en alimentación ecológica dirigió durante 2 años el restaurante de una gran editorial de Hamburgo antes de publicar sus extensos conocimientos y sus experiencias prácticas en la confección de recetas y plasmación de ideas nuevas de diversas investigaciones culinarias en conocidas revistas. Lleva muchos años trabajando como estilista de alimentos para redacciones, agencias, fotógrafos especializados y empresas de propaganda filmada. Por lo demás, es para ella una satisfacción estimular su inspiración con la oferta del mercadillo semanal y obsequiar a su marido, sus hijos y sus amigos con sus opíparas creaciones. ha reunido para la editorial Gräfe und Unzer algunas de sus ideas para ensaladas de mayor éxito.

Brigitta Stuber

Es una auténtica muniquesa. Pasó sin más preámbulos, de la escuela a ser esposa y madre. Este salto en el vacío la obligó a aprender por su propia cuenta todo lo relacionado con la casa y la cocina. Su autodidacta arte culinario encontró tal reconocimiento en su círculo de amistades que sus recetas fueron muy solicitadas. Por otra parte, cursó un aprendizaje voluntario de las tareas de una redacción y ha trabajado después durante años para editoriales especializadas. Muy pronto se sintió inclinada hacia el trabajo periodístico en el campo de la gastronomía. Desde hace 8 años, Brigitta Stuber es asesora de la editorial Gräfe und Unzer. En este libro de ensaladas ha colaborado como autora.

Dr. Renate Zeltner

Licenciada en Historia e Historia del Arte, entró en relación con la cocina y los libros de cocina gracias a una familia (esposo y tres hijos) aficionada a la buena mesa. Más tarde –tras años de trabajo como redactora de diccionarios– entró también en relación profesional con el arte culinario en su trabajo de asesora para una editorial especializada. Un día decidió dedicarse no solamente a preparar la edición de textos de otros autores, sino también a llevar ella misma el papel su propia experiencia y sus propias recetas. En la editorial Gräfe und Unzer se ha publicado su obra *El nuevo libro de la cocina de las setas.* En el presente volumen ha colaborado en trabajos de redacción y aporta una selección de sus mejores recetas de ensaladas.

Odette Teubner

Su camino profesional le fue prefijado desde la infancia. Creció en el fascinante mundo de un estudio fotográfico, entre cámaras, reflectores, cocinas de ficción y cuartos de revelado. Nada más terminar el período escolar comenzó su aprendizaje con su padre, el fotógrafo de alimentos internacionalmente conocido Christian Teubner. A pesar de que Odette se convirtió pronto, para su padre, en una ayuda poco menos que insustituible, siguió el consejo paterno de cursar en Munich unos meses de fotografría de moda para abrirse a otras posibilidades. Durante una estancia de varias semanas en Alaska, fotografió con inspiración parajes y animales. Hoy trabaja exclusivamente en el estudio de fotografía de alimentos Teubner. En su tiempo libre ha cultivado con entusiasmo el retrato infantil, con su hijo como modelo.

La fotografía de la portada muestra una variante de la receta *Ensalada de cangrejos y hierba de los canónigos.* En vez de melón y calabacín agregamos aquí a la ensalada de champiñones crudos, escarola y huevos duros. (Pág. 34)

«Cocinar mejor que nunca»

Aves
Las más incitantes maneras de cocinar aves de caza y de corral, con indicaciones sobre su compra, limpieza, trinchado y presentación

Pescado
Las más codiciadas maneras de cocinar pescados y mariscos, con indicaciones sobre su compra, limpieza, preparación y presentación.

Ensaladas
Los modos más delicados de preparar ensaladas, con indicaciones sobre su compra y presentación.

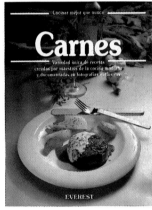

Carnes
Las más delicadas recetas para cocinar y servir las más diversas carnes, con indicaciones sobre su compra, trinchado y presentación.

Repostería
Las recetas más apetitosas para preparar pasteles, tartas, pastas y bollos, con indicaciones sobre su horneado y presentación.

Verduras
Las mejores maneras de cocinar y servir verduras, con indicaciones sobre su compra y preparación sin que pierdan su valor nutritivo.

Sopas y guisos
Las más atractivas maneras de cocinar y servir sopas, caldos, cremas, menestras, cocidos y guisos.

Postres
Las más sabrosas maneras de preparar y servir postres nuevos y tradicionales: helados, frutas, dulces, etc.

Pasta
Las más seductoras maneras de cocinar y servir todo tipo de pasta, con indicaciones sobre su compra, cocción y presentación.

Tentempiés y piscolabis
Las más ingeniosas maneras de preparar y presentar tapas, canapés, aperitivos y entremeses calientes o fríos.

Título original: *Salate*

Traducción: *Luis María Pastor Puebla*

CUARTA EDICIÓN

© Gräfe und Unzer GmbH, München, y
EDITORIAL EVEREST, S. A.
Carretera León-La Coruña km 5 - LEÓN
ISBN: 84-241-2384-0
Depósito Legal: LE: 431-1994
Printed in Spain - Impreso en España

EDITORIAL EVERGRÁFICAS, S. L.
Carretera León-La Coruña km 5
LEÓN (ESPAÑA)